Classiques & Contemporains

W9-BQT-204

Éric-Emmanuel Schmitt
Oscar et la dame rose

Présentation, notes, questions et après-texte établis par

JOSIANE GRINFAS-BOUCHIBTI
professeur de Lettres

MAGNARD

Sommaire

ÉCRIRE POUR VIVRE

Dans le site officiel qui lui est consacré, Éric-Emmanuel Schmitt dévoile l'origine d'*Oscar et la dame rose*; il faut aller la chercher dans sa propre enfance et dans les enseignements que lui a transmis son père. Celui-ci travaillait comme kinésithérapeute dans les cliniques pédiatriques et la rencontre avec ce milieu a visiblement décillé les yeux de son fils. En effet, Éric-Emmanuel Schmitt confie : « Contrairement à tant d'enfants – et d'adultes –, je ne me crus pas longtemps immortel. […] Dépassant mes indignations, il me forçait à saisir le point de vue de l'autre, m'initiant à mon métier d'écrivain qui crée des personnages différents ayant chacun sa fenêtre sur l'univers. […] Je pensais qu'il y avait quelque chose d'indécent dans la guérison : l'oubli de ceux qui ne guérissent pas. De là naquit ce livre. Il se résume peut-être à cette obsession : plus important que guérir, il faut devenir capable d'accepter la maladie et la mort. »

De là naissent donc aussi les deux personnages principaux de ce récit : Oscar, un petit garçon leucémique de dix ans, et Mamie-Rose, une vieille dame visiteuse d'hôpital ; Oscar, l'enfant qui sait qu'il va mourir, et Mamie-Rose, la vieille copine qui va l'accompagner vers l'acceptation de cette fin de vie en lui proposant, entre autres « jeux », d'écrire des lettres à Dieu.

Oscar et la dame rose est ainsi constitué des missives du jeune malade, écrites pendant les derniers jours de son existence et que Mamie-Rose a retrouvées.

Dans ces lettres, Oscar retranscrit les longues conversations qu'il a avec sa copine Mamie-Rose et les autres (Bacon, Einstein, pour les garçons ; Peggy Blue, pour les filles). Elles concentrent en à peu près douze jours les interrogations qu'un homme peut mettre toute une vie à formuler.

De fait, les quatre thèmes qui articulent les conversations entre Oscar et sa visiteuse – en attendant peut-être un autre visiteur – sont là : la maladie, la souffrance, Dieu et, implicitement, la mort.

Le fait qu'il s'agisse de la mort annoncée d'un enfant aurait pu donner un texte plein de pathos, l'idée la plus communément partagée étant que la mort d'un être à l'aube de sa vie est plus injuste, plus révoltante. Mais Éric-Emmanuel Schmitt préfère, pour traiter ces questions philosophiques, des procédés qui introduisent du jeu, de la séduction, de la « théâtralité ». D'abord, l'écrivain a eu l'idée de faire parler l'enfant lui-même, un « môme » qui n'hésite pas à tutoyer Dieu, à Lui demander « deux ou trois services » et ce qu'il veut pour son anniversaire. Ensuite, il l'accompagne d'une drôle de grand-mère, ancienne catcheuse et peu soucieuse des convenances, une mamie qui se bat contre la maladie par l'ironie, l'humour et sa capacité à inventer des légendes. Ce personnage a été créé par Danielle Darrieux au théâtre des Champs-Élysées en 2002 et a été repris par Anny Duperey sur la scène du théâtre de l'Œuvre à l'hiver 2005-2006. En 2009, c'est Michèle Laroque qui l'incarne à l'écran dans le film réalisé par Éric-Emmanuel Schmitt.

Avec *Oscar et la dame rose*, Éric-Emmanuel Schmitt pose, une fois encore, les questions métaphysiques contenues dans son « Cycle de l'invisible » ; mais il propose aussi une réflexion plus concrète sur l'hospitalité, sur le rapport entre soin et amour, sur la capacité à rencontrer l'autre, à l'accueillir et à le soulager.

Éric-Emmanuel Schmitt

Oscar et la dame rose

À Danielle Darrieux

lettre ①

Oscar et la dame rose

Cher Dieu,

mettre

Je m'appelle Oscar, j'ai dix ans, j'ai foutu le feu au chat, au chien, à la maison (je crois même que j'ai grillé les poissons rouges) et c'est la première lettre que je t'envoie parce que jusqu'ici, à cause de mes études, j'avais pas le temps.

Je te préviens tout de suite : j'ai horreur d'écrire. Faut vraiment que je sois obligé. Parce qu'écrire c'est guirlande, pompon, risette, ruban, et cetera. Écrire, c'est rien qu'un mensonge qui enjolive[1]. Un truc d'adultes.

La preuve ? Tiens, prends le début de ma lettre : « Je m'appelle Oscar, j'ai dix ans, j'ai foutu le feu au chat, au chien, à la maison (je crois même que j'ai grillé les poissons rouges) et c'est la première lettre que je t'envoie parce que jusqu'ici, à cause de mes études, j'avais pas le temps », j'aurais pu aussi bien mettre : « On m'appelle Crâne d'Œuf, j'ai l'air d'avoir sept ans, je vis à l'hôpital à cause de mon cancer et je ne t'ai jamais adressé la parole parce que je crois même pas que tu existes. »

Seulement si j'écris ça, ça la fout mal, tu vas moins t'intéresser à moi. Or j'ai besoin que tu t'intéresses.

Ça m'arrangerait même que tu aies le temps de me rendre deux ou trois services.

---

1. Rend plus beau.

BIEN LIRE

L. 4 : Quel est l'effet créé par le tutoiement ?
L. 17 « Je crois même pas que tu existes » : Quelle position philosophique Oscar affirme-t-il ? En quoi est-elle paradoxale ?

Je t'explique.

L'hôpital, c'est un endroit super-sympa, avec plein d'adultes de bonne humeur qui parlent fort, avec plein de jouets et de dames
25 roses qui veulent s'amuser avec les enfants, avec des copains toujours disponibles comme Bacon, Einstein[1] ou Pop Corn, bref, l'hôpital, c'est le pied si tu es un malade qui fait plaisir.

Moi, je ne fais plus plaisir. Depuis ma greffe de moelle osseuse, je sens bien que je ne fais plus plaisir. Quand le doc-
30 teur Düsseldorf m'examine, le matin, le cœur n'y est plus, je le déçois. Il me regarde sans rien dire comme si j'avais fait une erreur. Pourtant je me suis appliqué, moi, à l'opération ; j'ai été sage, je me suis laissé endormir, j'ai eu mal sans crier, j'ai pris tous les médicaments. Certains jours, j'ai envie de lui gueuler
35 dessus, de lui dire que c'est peut-être lui, le docteur Düsseldorf, avec ses sourcils noirs, qui l'a ratée, l'opération. Mais il a l'air tellement malheureux que les insultes me restent dans la gorge. Plus le docteur Düsseldorf se tait avec son œil désolé, plus je me sens coupable. J'ai compris que je suis devenu un mauvais
40 malade, un malade qui empêche de croire que la médecine, c'est formidable.

La pensée d'un médecin, c'est contagieux. Maintenant tout l'étage, les infirmières, les internes et les femmes de ménage, me regarde pareil. Ils ont l'air tristes quand je suis de bonne

---

1. Physicien né à Ulm en 1879 et mort à Princeton en 1955, tenu pour un génie, qui exprima la théorie de la relativité.

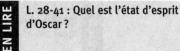

BIEN LIRE

L. 28-41 : Quel est l'état d'esprit d'Oscar ?

humeur ; ils se forcent à rire quand je sors une blague. Vrai, on rigole plus comme avant.

Il n'y a que Mamie-Rose qui n'a pas changé. À mon avis, elle est de toute façon trop vieille pour changer. Et puis elle est trop Mamie-Rose, aussi. Mamie-Rose, je te la présente pas, Dieu, c'est une bonne copine à toi, vu que c'est elle qui m'a dit de t'écrire. Le problème, c'est qu'il n'y a que moi qui l'appelle Mamie-Rose. Donc faut que tu fasses un effort pour voir de qui je parle : parmi les dames en blouse rose[1] qui viennent de l'extérieur passer du temps avec les enfants malades, c'est la plus vieille de toutes.

— C'est quoi votre âge, Mamie-Rose ?

— Tu peux retenir les nombres à treize chiffres, mon petit Oscar ?

— Oh ! Vous charriez[2] !

— Non. Il ne faut surtout pas qu'on sache mon âge ici sinon je me fais chasser et nous ne nous verrons plus.

— Pourquoi ?

— Je suis là en contrebande[3]. Il y a un âge limite pour être dame rose. Et je l'ai largement dépassé.

— Vous êtes périmée[4] ?

— Oui.

— Comme un yaourt ?

---

1. Bénévoles d'une association chargée de jouer avec les enfants malades à l'hôpital ; *rose* pour les différencier du personnel médical.
2. Exagérez, plaisantez.
3. À l'insu du règlement.
4. Qui a dépassé le délai de validité.

— Chut!

— O.K.! Je dirai rien.

70   Elle a été vachement courageuse de m'avouer son secret. Mais elle est tombée sur le bon numéro. Je serai muet même si je trouve étonnant, vu toutes les rides qu'elle a, comme des rayons de soleil autour des yeux, que personne ne s'en soit douté.

Une autre fois j'ai appris un de ses autres secrets, et avec ça, 75 c'est sûr, Dieu, tu vas pouvoir l'identifier.

On se promenait dans le parc de l'hôpital et elle a marché sur une crotte.

— Merde!

— Mamie-Rose, vous dites des vilains mots.

80   — Oh, toi, le môme, lâche-moi la grappe un instant, je parle comme je veux.

— Oh Mamie-Rose!

— Et bouge-toi le cul. On se promène, là, on ne fait pas une course d'escargots.

85   Quand on s'est assis pour sucer un bonbon sur un banc, je lui ai demandé :

— Comment se fait-il que vous parliez si mal?

— Déformation professionnelle, mon petit Oscar. Dans mon métier, j'étais foutue si j'avais le vocabulaire trop délicat.

BIEN LIRE

L. 68-71 : Sur quel mode la relation entre l'enfant et la vieille dame fonctionne-t-elle ?

L. 74-75 : Quel est le secret qui peut permettre à Dieu d'identifier Mamie-Rose ?

– Et c'était quoi votre métier ?

– Tu ne vas pas me croire...

– Je vous jure que je vous croirai.

– Catcheuse[1].

– Je ne vous crois pas !

– Catcheuse ! On m'avait surnommée l'Étrangleuse du Languedoc[2].

Depuis, quand j'ai un coup de morosité et qu'elle est certaine que personne ne peut nous entendre, Mamie-Rose me raconte ses grands tournois : l'Étrangleuse du Languedoc contre la Charcutière du Limousin[3], sa lutte pendant vingt ans contre Diabolica Sinclair, une Hollandaise qui avait des obus à la place des seins, et surtout sa coupe du monde contre Ulla-Ulla, dite la Chienne de Buchenwald[4], qui n'avait jamais été battue, même par Cuisses d'Acier, le grand modèle de Mamie-Rose quand elle était catcheuse. Moi, ça me fait rêver ses combats, parce que j'imagine ma copine comme maintenant sur le ring, une petite vieille en blouse rose un peu branlante[5] en train de foutre la pâtée à des ogresses en maillot. J'ai l'impression que c'est moi. Je deviens le plus fort. Je me venge.

Bon, si avec tous ces indices, Mamie-Rose ou l'Étrangleuse du Languedoc, tu ne repères pas qui est Mamie-Rose, Dieu,

---

1. Personne qui pratique le catch (« attraper » en anglais), sorte de lutte libre.
2. Région du Sud-Ouest de la France.
3. Région du Centre de la France.
4. Camp de concentration du Centre de l'Allemagne.
5. Perdant son équilibre, vacillante.

alors il faut arrêter d'être Dieu et prendre ta retraite. Je pense que j'ai été clair ?

Je reviens à mes affaires.

115   Bref, ma greffe[1] a beaucoup déçu ici. Ma chimio[2] décevait aussi mais c'était moins grave parce qu'on avait l'espoir de la greffe. Maintenant, j'ai l'impression que les toubibs ne savent plus quoi proposer, même que ça fait pitié. Le docteur Düsseldorf, que maman trouve si beau quoique moi je le trouve
120 un peu fort des sourcils, il a la mine désolée d'un Père Noël qui n'aurait plus de cadeaux dans sa hotte.

L'atmosphère se détériore. J'en ai parlé à mon copain Bacon. En fait il s'appelle pas Bacon, mais Yves, mais nous on l'a appelé Bacon parce que ça lui va beaucoup mieux, vu qu'il est un
125 grand brûlé.

– Bacon, j'ai l'impression que les médecins ne m'aiment plus, je les déprime.

– Tu parles, Crâne d'Œuf ! Les médecins, c'est inusable. Ils ont toujours plein d'idées d'opérations à te faire. Moi, j'ai cal-
130 culé qu'ils m'en ont promis au moins six.

– Peut-être que tu les inspires.

– Faut croire.

– Mais pourquoi ils ne me disent pas tout simplement que je vais mourir ?

135 Là, Bacon, il a fait comme tout le monde à l'hôpital : il est

---

1. Opération par laquelle on prélève une part d'organisme sur une personne pour la destiner à une autre personne. Dans le cas d'Oscar, il s'agit d'une greffe de moelle osseuse.
2. Abrégé de *chimiothérapie*, traitement médicamenteux du cancer.

devenu sourd. Si tu dis « mourir » dans un hôpital, personne
n'entend. Tu peux être sûr qu'il va y avoir un trou d'air et que
l'on va parler d'autre chose. J'ai fait le test avec tout le monde.
Sauf avec Mamie-Rose.

Alors ce matin, j'ai voulu voir si, elle aussi, elle devenait dure
de la feuille[1] à ce moment-là.

— Mamie-Rose, j'ai l'impression que personne ne me dit que
je vais mourir.

Elle me regarde. Est-ce qu'elle va réagir comme les autres ?
S'il te plaît, l'Étrangleuse du Languedoc, résiste et conserve tes
oreilles !

— Pourquoi veux-tu qu'on te le dise si tu le sais, Oscar !

Ouf, elle a entendu.

— J'ai l'impression, Mamie-Rose, qu'on a inventé un autre
hôpital que celui qui existe vraiment. On fait comme si on ne
venait à l'hôpital que pour guérir. Alors qu'on y vient aussi pour
mourir.

— Tu as raison, Oscar. Et je crois qu'on fait la même erreur
pour la vie. Nous oublions que la vie est fragile, friable[2], éphémère[3]. Nous faisons tous semblant d'être immortels.

— Elle est ratée, mon opération, Mamie-Rose ?

Mamie-Rose n'a pas répondu. C'était sa manière à elle de

---

1. Sourde.
2. Qui s'effrite, se réduit en poudre.
3. Ne vivant qu'un jour, très bref.

BIEN LIRE

**L. 136-137 : Pourquoi « personne
n'entend » le verbe « mourir » ?
Quelle réalité Oscar dévoile-t-il ?**

dire oui. Quand elle a été sûre que j'avais compris, elle s'est approchée et m'a demandé, sur un ton suppliant :

160 — Je ne t'ai rien dit, bien sûr. Tu me le jures ?

— Juré.

On s'est tus un petit moment, histoire de bien remuer toutes ces nouvelles pensées.

— Si tu écrivais à Dieu, Oscar ?

165 — Ah non, pas vous, Mamie-Rose !

— Quoi, pas moi ?

— Pas vous ! Je croyais que vous n'étiez pas menteuse.

— Mais je ne te mens pas.

— Alors pourquoi vous me parlez de Dieu ? On m'a déjà fait

170 le coup du Père Noël. Une fois suffit !

— Oscar, il n'y a aucun rapport entre Dieu et le Père Noël.

— Si. Pareil. Bourrage de crâne[1] et compagnie !

— Est-ce que tu imagines que moi, une ancienne catcheuse, cent soixante tournois gagnés sur cent soixante-cinq, dont qua-

175 rante-trois par K.-O., l'Étrangleuse du Languedoc, je puisse croire une seconde au Père Noël ?

— Non.

— Eh bien je ne crois pas au Père Noël mais je crois en Dieu. Voilà.

---

1. Endoctrinement, propagande.

BIEN LIRE

L. 169-170 « On m'a déjà fait le coup du Père Noël » : Comment comprenez-vous cette remarque ? Quel reproche Oscar fait-il au monde des adultes ?

Évidemment, dit comme ça, ça changeait tout.

– Et pourquoi est-ce que j'écrirais à Dieu ?

– Tu te sentirais moins seul.

– Moins seul avec quelqu'un qui n'existe pas ?

– Fais-le exister.

Elle s'est penchée vers moi.

– Chaque fois que tu croiras en lui, il existera un peu plus. Si tu persistes, il existera complètement. Alors, il te fera du bien.

– Qu'est-ce que je peux lui écrire ?

– Livre-lui tes pensées. Des pensées que tu ne dis pas, ce sont des pensées qui pèsent, qui s'incrustent[1], qui t'alourdissent, qui t'immobilisent, qui prennent la place des idées neuves et qui te pourrissent. Tu vas devenir une décharge à vieilles pensées qui puent si tu ne parles pas.

– O.K.

– Et puis, à Dieu, tu peux lui demander une chose par jour. Attention ! Une seule.

– Il est nul, votre Dieu, Mamie-Rose. Aladin[2], il avait droit à trois vœux avec le génie[3] de la lampe.

– Un vœu par jour, c'est mieux que trois dans une vie, non ?

– O.K. Alors je peux tout lui commander ? Des jouets, des bonbons, une voiture...

---

1. S'enracinent.
2. Personnage des *Mille et Une Nuits*, recueil de contes persans.
3. Esprit, bon ou mauvais, qui a le pouvoir de changer le cours du destin.

BIEN LIRE

L. 181-188 : Comment le passage du conditionnel (« j'écrirais ») au mode infinitif (« écrire ») permet-il d'évaluer la force de persuasion de Mamie-Rose ? Quel autre mode, quel autre temps utilise-t-elle ?

— Non, Oscar. Dieu n'est pas le Père Noël. Tu ne peux demander que des choses de l'esprit.

— Exemple ?

205 — Exemple : du courage, de la patience, des éclaircissements.

— O.K. Je vois.

— Et tu peux aussi, Oscar, lui suggérer des faveurs pour les autres.

— Un vœu par jour, Mamie-Rose, faut pas déconner, je vais
210 d'abord le garder pour moi !

Voilà. Alors Dieu, à l'occasion de cette première lettre, je t'ai montré un peu le genre de vie que j'avais ici, à l'hôpital, où on me regarde maintenant comme un obstacle à la médecine, et j'aimerais te demander un éclaircissement : est-ce que je vais
215 guérir ? Tu réponds oui ou non. C'est pas bien compliqué. Oui ou non. Tu barres la mention inutile.

À demain, bisous,
Oscar.

P.-S. Je n'ai pas ton adresse : comment je fais ?

BIEN LIRE

L. 211-216 : Quelle fonction Oscar donne-t-il à cette première lettre ?
L. 214 : Que pensez-vous du mot « éclaircissement » ?

(lettre 2)

Cher Dieu,

Bravo ! Tu es très fort. Avant même que j'aie posté la lettre, tu me donnes la réponse. Comment fais-tu ?

Ce matin, je jouais aux échecs avec Einstein dans la salle de récréation lorsque Pop Corn est venu me prévenir :

– Tes parents sont là.

– Mes parents ? C'est pas possible. Ils ne viennent que le dimanche.

– J'ai vu la voiture, une Jeep rouge avec la bâche blanche. _(canvas)_

– C'est pas possible.

J'ai haussé les épaules et j'ai continué à jouer avec Einstein. Mais comme j'étais préoccupé, Einstein me piquait toutes mes pièces, et ça m'a encore plus énervé. Si on l'appelle Einstein, c'est pas parce qu'il est plus intelligent que les autres mais parce qu'il a la tête qui fait le double de volume. Il paraît que c'est de l'eau à l'intérieur. C'est dommage, ç'aurait été de la cervelle, _(brains)_ il aurait pu faire de grandes choses, Einstein.

Quand j'ai vu que j'allais perdre, j'ai laissé tomber le jeu et j'ai suivi Pop Corn dont la chambre donne sur le parking. Il avait raison : mes parents étaient arrivés.

Il faut te dire, Dieu, qu'on habite loin, mes parents et moi. Je ne m'en rendais pas compte _(realize)_ quand j'y habitais mais maintenant que je n'y habite plus, je trouve que c'est vraiment loin. Du coup, mes parents ne peuvent venir me voir qu'une fois par semaine, le dimanche, parce que le dimanche ils ne travaillent pas, ni moi non plus.

moins difficile = jouer aux dames

– Tu vois que j'avais raison, a dit Pop Corn. Combien tu me donnes pour t'avoir prévenu ?

– J'ai des chocolats aux noisettes.

30 – T'as plus de fraises Tagada ?

– Non.

– O.K. pour les chocolats.

Évidemment, on n'a pas le droit de donner à manger à Pop Corn vu qu'il est là pour maigrir. Quatre-vingt-dix-huit kilos à 35 neuf ans, pour un mètre dix de haut sur un mètre dix de large ! Le seul vêtement dans lequel il rentre tout entier, c'est un sweat-shirt de polo[1] américain. Et encore, les rayures ont le mal de mer. Franchement, comme aucun de mes copains ni moi on croit qu'il pourra jamais arrêter d'être gros et qu'il nous fait 40 pitié tellement il a faim, on lui donne toujours nos restes. C'est minuscule, un chocolat, par rapport à une telle masse de graisse ! Si on a tort, alors que les infirmières cessent, elles aussi, de lui fourrer des suppositoires.

Je suis retourné dans ma chambre pour attendre mes parents. 45 Au début, je n'ai pas vu passer les minutes parce que j'étais essoufflé puis je me suis rendu compte qu'ils avaient eu quinze fois le temps d'arriver jusqu'à moi.

Soudain, j'ai deviné où ils étaient. Je me suis glissé dans le

---

1. Sport qui se pratique à cheval, avec un maillet et une boule de bois.

BIEN LIRE

L. 27-43 : Que peut-on déduire sur les relations entre les enfants hospitalisés ?

couloir ; quand personne ne me voyait, j'ai descendu l'escalier, puis j'ai marché dans la pénombre[1] jusqu'au bureau du docteur Düsseldorf.

Gagné ! Ils étaient là. Les voix m'arrivaient de derrière la porte. Comme j'étais épuisé par la descente, j'ai pris quelques secondes pour remettre mon cœur en place et c'est là que tout s'est détraqué. J'ai entendu ce que j'aurais pas dû entendre. Ma mère sanglotait, le docteur Düsseldorf répétait : « Nous avons tout essayé, croyez bien que nous avons tout essayé » et mon père répondait d'une voix étranglée[2] : « J'en suis sûr, docteur, j'en suis sûr. »

Je suis resté l'oreille collée à la porte de fer. Je savais plus qui était le plus froid, le métal ou moi.

Puis le docteur Düsseldorf a dit :

— Est-ce que vous voulez l'embrasser ?

— Je n'aurai jamais le courage, a dit ma mère.

— Il ne faut pas qu'il nous voie dans cet état, a rajouté mon père.

Et c'est là que j'ai compris que mes parents étaient deux lâches. Pire : deux lâches qui me prenaient pour un lâche !

Comme il y avait des bruits de chaises dans le bureau, j'ai deviné qu'ils allaient sortir et j'ai ouvert la première porte qui se présentait.

C'est comme ça que je me suis retrouvé dans le placard à balais où j'ai passé le reste de la matinée car, peut-être que tu le

---

1. Demi-obscurité.
2. Ayant du mal à sortir de sa gorge.

sais pas, Dieu, mais les placards à balais, ça s'ouvre de l'extérieur, pas de l'intérieur, comme si on avait peur que, la nuit, les
75 balais, les seaux et les serpillières, ils se barrent !

De toute façon, ça ne me gênait pas d'être enfermé dans le
noir parce que je n'avais plus envie de voir personne et parce
que mes jambes et mes bras ne répondaient plus tellement
après le choc que ça m'avait fait, entendre ce que j'avais
80 entendu.

Vers les midi, j'ai senti que ça s'agitait pas mal à l'étage au-
dessus. J'écoutais les pas, les cavalcades[1]. Puis on s'est mis à
crier mon nom de partout :

– Oscar ! Oscar !

85 Ça me faisait du bien de m'entendre appeler et de ne pas
répondre. J'avais envie d'embêter la Terre entière.

Après, je crois que j'ai un peu dormi, puis j'ai perçu les
galoches[2] traînantes de Madame N'da, la femme de service. Elle
a ouvert la porte et là, on s'est fait vraiment peur, on a hurlé très
90 fort, elle parce qu'elle s'attendait pas à me trouver là, moi parce
que je ne me souvenais pas qu'elle était aussi noire. Ni qu'elle
criait aussi fort.

Après, ça a été une sacrée mêlée. Ils sont tous venus, le docteur Düsseldorf, l'infirmière-chef, les infirmières de service, les

---

1. Courses.
2. Grosses chaussures.

m'engueuler = exprimer sa colère = gronder

autres femmes de ménage. Alors que je croyais qu'ils allaient m'engueuler[1], ils se sentaient tous morveux[1] et j'ai vu qu'il fallait vite tirer profit de la situation.

– Je veux voir Mamie-Rose.

– Mais où étais-tu passé, Oscar ? Comment te sens-tu ?

– Je veux voir Mamie-Rose.

– Comment t'es-tu retrouvé dans ce placard ? Tu as suivi quelqu'un ? Tu as entendu quelque chose ?

– Je veux voir Mamie-Rose

– Prends un verre d'eau.

– Non. Je veux voir Mamie-Rose.

– Prends une bouchée de...

– Non. Je veux voir Mamie-Rose.

Du granit. Une falaise. Une dalle de béton. Rien à faire. Je n'écoutais même plus ce qu'on me disait. Je voulais voir Mamie-Rose.

Le docteur Düsseldorf avait l'air très contrarié par rapport à ses collègues de n'avoir aucune autorité sur moi. Il a fini par craquer.

– Qu'on aille chercher cette dame !

Là, j'ai consenti à me reposer et j'ai dormi un peu dans ma chambre.

---

1. Pas très fiers d'eux.

BIEN LIRE

L. 98-110 : Quelle dimension prend le personnage de Mamie-Rose à ce moment du récit ?

Quand je me suis réveillé, Mamie-Rose était là. Elle souriait.

— Bravo, Oscar, tu as réussi ton coup. Tu leur as foutu une sacrée gifle. Mais le résultat, c'est qu'ils me jalousent mainte-
120 nant.

— On s'en fout. *= ça m'est égal*

— Ce sont de braves gens, Oscar. De très braves gens.

— Je m'en fous.

— Qu'est-ce qui ne va pas ?

125 — Le docteur Düsseldorf a dit à mes parents que j'allais mourir et ils se sont enfuis. Je les déteste.

Je lui ai tout raconté dans le détail, comme à toi, Dieu.

— Mmm, a fait Mamie-Rose, ça me rappelle mon tournoi à Béthune[1] contre Sarah Youp La Boum, la catcheuse au corps
130 huilé *qilea*, l'anguille des rings[2], une acrobate qui se battait presque nue et qui te filait entre les mains lorsque tu essayais de lui faire une prise. Elle ne combattait qu'à Béthune où elle gagnait chaque année la coupe de Béthune. Or moi, je la voulais, la coupe de Béthune !

135 — Qu'est-ce que vous avez fait, Mamie-Rose ?

— Des amis à moi lui ont jeté de la farine lorsqu'elle est mon-tée sur le ring. Huile plus farine, ça faisait une jolie chapelure[3]. En trois croix et deux mouvements, je l'ai envoyée au tapis, la Sarah Youp La Boum. Après moi, on ne l'appelait plus l'an-
140 guille des rings mais la morue[4] panée[5].

---

1. Ville du Nord de la France.
2. Périmètres clos par des cordes dans lesquels se jouent les matchs de boxe ou de catch.
3. Mélange de pain, de biscotte, de farine qui enrobe les viandes ou poissons.
4. Autre nom du cabillaud, espèce de poisson.
5. Cuite dans la chapelure.

– Vous m'excuserez, Mamie-Rose, mais je vois pas vraiment le rapport.

– Moi je le vois très bien. Y a toujours une solution, Oscar, y a toujours un sac de farine quelque part. Tu devrais écrire à Dieu. Il est plus fort que moi.

– Même pour le catch ?

– Oui. Même pour le catch, Dieu touche sa bille[1]. Essaie, mon petit Oscar. Qu'est-ce qui te fait le plus mal ?

– Je déteste mes parents.

– Alors déteste-les très fort.

– C'est vous qui me dites ça, Mamie-Rose ?

– Oui. Déteste-les très fort. Ça te fera un os à ronger[2]. Quand tu l'auras fini, ton os, tu verras que ce n'était pas la peine. Raconte tout ça à Dieu et, dans ta lettre, demande-lui donc de te faire une visite.

– Il se déplace ?

– À sa façon. Pas souvent. Rarement même.

– Pourquoi ? Il est malade, lui aussi ?

Là, j'ai compris au soupir de Mamie-Rose qu'elle ne voulait pas m'avouer que, toi aussi, Dieu, tu es en mauvais état.

– Tes parents ne t'ont jamais parlé de Dieu, Oscar ?

– Laissez tomber. Mes parents, ils sont cons.

– Bien sûr. Mais est-ce qu'ils ne t'ont jamais parlé de Dieu ?

---

1. Est bon, efficace.
2. Maigre occupation.

BIEN LIRE Quel conseil Mamie-Rose donne-t-elle à nouveau ? En quoi sa méthode est-elle parfois surprenante ?

   – Si. Juste une fois. Pour dire qu'ils y croyaient pas. Eux, ils
165 croient juste au Père Noël.

   – Ils sont si cons que ça, mon petit Oscar ?

   – Pouvez pas vous imaginer ! Le jour où je suis revenu de
l'école en leur disant qu'il fallait arrêter de déconner, que je
savais, comme tous mes copains, que le Père Noël n'existait pas,
170 ils avaient l'air de tomber d'un nuage. Comme j'étais plutôt
furax[1] d'être passé pour un crétin dans la cour de récréation, ils
m'ont juré qu'ils n'avaient jamais voulu me tromper et qu'ils
avaient cru, eux, sincèrement, que le Père Noël existait, et qu'ils
étaient très déçus, mais alors là, très déçus d'apprendre que ce
175 n'était pas vrai ! Deux vrais tarés, je vous dis, Mamie-Rose !

   – Donc ils ne croient pas en Dieu ?

   – Non.

   – Et ça ne t'a pas intrigué[2] ?

   – Si je m'intéresse à ce que pensent les cons, je n'aurai plus
180 de temps pour ce que pensent les gens intelligents.

   – Tu as raison. Mais le fait que tes parents qui, selon toi,
sont des cons...

   – Oui. Des vrais cons, Mamie-Rose !

   – Donc, si tes parents qui se trompent n'y croient pas, pour-
185 quoi toi, justement, ne pas y croire et lui demander une visite ?

---

1. Furieux.
2. Attiré l'attention.

BIEN LIRE — L. 163 : Comment interpréter le « Bien sûr » de Mamie-Rose et sa façon de renchérir sur les jugements d'Oscar ?

– D'accord. Mais vous m'avez pas dit qu'il est grabataire[1] ?

– Non. Il a une façon très spéciale de rendre visite. Il te rend visite en pensée. Dans ton esprit.

Ça, ça m'a plu. J'ai trouvé ça très fort. Mamie-Rose a ajouté :

– Tu verras : ses visites font beaucoup de bien.

– O.K., je lui en parlerai. Enfin, pour l'instant, les visites qui me font le plus de bien, ce sont les vôtres.

Mamie-Rose a souri et, presque timidement, s'est penchée pour me faire un bisou sur la joue. Elle n'osait pas aller jusqu'au bout. Elle mendiait de l'œil la permission.

– Allez-y. Embrassez-moi. Je le dirai pas aux autres. Je veux pas casser votre réputation d'ancienne catcheuse.

Ses lèvres se sont posées sur ma joue et ça m'a fait plaisir, ça me donnait chaud, avec des picotements, ça sentait la poudre et le savon.

– Quand revenez-vous ?

– Je n'ai le droit de venir que deux fois par semaine.

– C'est pas possible, ça, Mamie-Rose ! Je vais pas attendre trois jours !

– C'est le règlement.

– Qui fabrique le règlement ?

– Le docteur Düsseldorf.

---

1. Infirme, malade.

BIEN LIRE

L. 176-191 : Comment Mamie-Rose utilise-t-elle le raisonnement pour convaincre Oscar ? Quels connecteurs logiques (conjonctions de coordination) emploie-t-elle ? À quels autres « moyens de séduction » recourt-elle ?

— Le docteur Düsseldorf, en ce moment, il fait dans sa culotte quand il me voit. Allez lui demander la permission,
210 Mamie-Rose. Je plaisante pas.

Elle m'a regardé avec hésitation.

— Je plaisante pas. Si vous ne venez pas me voir tous les jours, moi j'écris pas à Dieu.

— Je vais essayer.

215 Mamie-Rose est sortie et je me suis mis à pleurer.

Je ne m'étais pas rendu compte, avant, combien j'avais besoin d'aide. Je ne m'étais pas rendu compte, avant, combien j'étais vraiment malade. À l'idée de ne plus voir Mamie-Rose, je comprenais tout ça et voilà que ça me coulait en larmes qui
220 brûlaient mes joues.

Heureusement, j'ai eu un peu le temps de me remettre avant qu'elle rentre.

— C'est arrangé : j'ai la permission. Pendant douze jours, je peux venir te voir tous les jours.

225 — Moi et rien que moi ?

— Toi et rien que toi, Oscar. Douze jours.

Là, je ne sais pas ce qui m'a pris, les larmes sont revenues et m'ont secoué. Pourtant je sais que les garçons ne doivent pas pleurer, surtout moi, avec mon crâne d'œuf, qui ne ressemble

BIEN LIRE

L. 216 « Je ne m'étais pas rendu compte, avant » : Que souligne l'adverbe « avant » ?

ni à un garçon ni à une fille mais plutôt à un Martien. Rien à faire. Je pouvais pas m'arrêter.

– Douze jours ? Ça va si mal que ça, Mamie-Rose ?

Elle aussi, ça la chatouillait de pleurer. Elle hésitait. L'ancienne catcheuse empêchait l'ancienne fille de se laisser aller. C'était joli à voir et ça m'a distrait un peu.

– Quel jour sommes-nous, Oscar ?

– Cette idée ! Vous ne voyez pas mon calendrier ? On est le 19 décembre.

– Dans mon pays, Oscar, il y a une légende qui prétend que, durant les douze derniers jours de l'an, on peut deviner le temps qu'il fera dans les douze mois de l'année à venir. Il suffit d'observer chaque journée pour avoir, en miniature, le tableau du mois. Le 19 décembre représente le mois de janvier, le 20 décembre le mois de février, etc., jusqu'au 31 décembre qui préfigure le mois de décembre suivant.

– C'est vrai ?

– C'est une légende. La légende des douze jours divinatoires[1]. Je voudrais qu'on y joue, toi et moi. Enfin surtout toi. À partir d'aujourd'hui, tu observeras chaque jour en te disant que ce jour compte pour dix ans.

– Dix ans ?

---

1. Prédisant l'avenir.

BIEN LIRE

L. 232 : Comment Oscar interprète-t-il le nombre de jours de la « permission » ? Mamie-Rose répond-elle à sa question ?

— Oui. Un jour : dix ans.

— Alors dans douze jours, j'aurai cent trente ans !

— Oui. Tu te rends compte ?

255 Mamie-Rose m'a embrassé – elle y prend goût, je sens – puis elle est partie.

Alors voilà, Dieu : ce matin, je suis né, et je ne m'en suis pas bien rendu compte ; c'est devenu plus clair vers les midi, quand j'avais cinq ans, j'ai gagné en conscience mais ça n'a pas été 260 pour apprendre de bonnes nouvelles ; ce soir, j'ai dix ans et c'est l'âge de raison. J'en profite pour te demander une chose : quand tu as quelque chose à m'annoncer comme à midi, pour mes cinq ans, fais moins brutal. Merci.

À demain, bisous,
265   Oscar.

P.-S. J'ai un truc à te demander. Je sais que je n'ai droit qu'à un vœu mais mon vœu de tout à l'heure, c'était à peine un vœu, plutôt un conseil.

Je serais d'accord pour une petite visite. Une visite en esprit. 270 Je trouve ça très fort. J'aimerais bien que tu m'en fasses une. Je suis ouvrable[1] de huit heures du matin à neuf heures du soir. Le

---

1. Disponible.

BIEN LIRE   **L. 239-254 :** Comment Mamie-Rose adapte-t-elle la légende à la situation d'Oscar ? Quel est le pouvoir dont dispose désormais ce personnage ?

reste du temps, je dors. Même parfois, dans la journée, je pique des petits roupillons[1] à cause des traitements. Mais si tu me trouves comme ça, n'hésite pas à me réveiller. Ça serait con de se rater à une minute près, non ?

1. Petits sommes.

BIEN LIRE

L. 266-275 : Quelle est, depuis la première lettre, la fonction du post-scriptum ?

Cher Dieu,

Aujourd'hui, j'ai vécu mon adolescence et ça n'a pas glissé tout seul. Quelle histoire ! J'ai eu plein d'ennuis avec mes copains, avec mes parents et tout ça à cause des filles. Ce soir, 5 je ne suis pas mécontent d'avoir vingt ans parce que je me dis que, ouf, le pire est derrière moi. La puberté[1], merci ! Une fois mais pas deux !

D'abord, Dieu, je te signale que tu n'es pas venu. J'ai très peu dormi aujourd'hui vu les problèmes de puberté que j'ai eus, 10 donc je n'aurais pas dû te rater. Et puis, je te le répète, si je roupille, secoue-moi.

Au réveil, Mamie-Rose était déjà là. Pendant le petit déjeuner, elle m'a raconté ses combats contre Téton Royal, une catcheuse belge, qui engloutissait trois kilos de viande crue par jour qu'elle 15 arrosait avec un tonneau de bière ; il paraît que ce qu'elle avait de plus fort, Téton Royal, c'était l'haleine, à cause de la fermentation[2] viande-bière, et que rien que ça, ça envoyait ses adversaires au tapis. Pour la vaincre, Mamie-Rose avait dû improviser une nouvelle tactique : mettre une cagoule, l'imprégner de lavande et 20 se faire appeler la Bourrelle[3] de Carpentras. Le catch, elle dit toujours, ça demande aussi des muscles dans la cervelle.

— Qui aimes-tu bien, Oscar ?

---

1. Âge de la préadolescence.
2. Transformation en acide ou en alcool.
3. Femme du bourreau (archaïque).

BIEN LIRE

L. 1-7 : Quels personnages sont évoqués pour la première fois ? À quel « âge » Oscar est-il arrivé, en ce début de troisième lettre ?

– Ici ? À l'hôpital ?

– Oui.

– Bacon, Einstein, Pop Corn.

– Et parmi les filles ?

Ça m'a bloqué, cette question. Je n'avais pas envie de répondre. Mais Mamie-Rose attendait et, devant une catcheuse de classe internationale, on peut pas faire le guignol trop long-temps.

– Peggy Blue.

Peggy Blue, c'est l'enfant bleue. Elle habite l'avant-dernière chambre au fond du couloir. Elle sourit gentiment mais elle ne parle presque pas. On dirait une fée qui se repose un moment à l'hôpital. Elle a une maladie compliquée, la maladie bleue[1], un problème de sang qui devrait aller aux poumons et qui n'y va pas et qui, du coup, rend toute la peau bleutée. Elle attend une opération qui la rendra rose. Moi je trouve que c'est dommage, je la trouve très belle en bleu, Peggy Blue. Il y a plein de lumière et de silence autour d'elle, on a l'impression de rentrer dans une chapelle quand on s'approche.

– Est-ce que tu le lui as dit ?

– Je ne vais pas me planter devant elle pour lui dire « Peggy Blue, je t'aime bien. »

---

1. Maladie cardiaque caractérisée par le passage du sang non oxygéné des cavités droites dans les cavités gauches où le sang oxygéné par les poumons est pollué. Le sang, très mal oxygéné, arrive aux tissus des patients et crée une cyanose : coloration bleue.

BIEN LIRE

L. 31 : Que vous évoque ce nom, « Peggy Blue » ?

L. 39-41 : Quel sentiment est suggéré par les mots « lumière », « silence » et « chapelle » ?

45 — Si. Pourquoi ne le fais-tu pas ?

— Je ne sais même pas si elle sait que j'existe.

— Raison de plus.

— Vous avez vu la tête que j'ai ? Faudrait qu'elle apprécie les extraterrestres, et ça, j'en suis pas sûr.

50 — Moi je te trouve très beau, Oscar.

Là, elle a un peu freiné la conversation, Mamie-Rose. C'est agréable d'entendre ce genre de chose, ça fait frissonner les poils, mais on sait plus très bien quoi répondre.

— Je veux pas séduire qu'avec mon corps, Mamie-Rose.

55 — Qu'est-ce que tu ressens pour elle ?

— J'ai envie de la protéger contre les fantômes.

— Quoi ? Il y a des fantômes, ici !

— Oui. Toutes les nuits. Ils nous réveillent on ne sait pas pourquoi. On a mal parce qu'ils pincent. On a peur parce

60 qu'on ne les voit pas. On a de la difficulté à se rendormir.

— En as-tu souvent, toi, des fantômes ?

— Non. Moi, le sommeil, c'est ce que j'ai de plus profond. Mais Peggy Blue, je l'entends parfois crier la nuit. J'aimerais bien la protéger.

65 — Va lui dire.

— De toute façon, je ne pourrais pas le faire vraiment parce

BIEN LIRE

L. 56-61 : De quelle réalité le mot « fantômes » est-il la métaphore ?

que, la nuit, on n'a pas le droit de quitter sa chambre. C'est le règlement.

– Est-ce que les fantômes connaissent le règlement ? Non. Sûrement pas. Sois rusé : s'ils t'entendent annoncer à Peggy Blue que tu monteras la garde pour la protéger d'eux, ils n'oseront pas venir ce soir.

– Mouais... mouais...

– Quel âge as-tu, Oscar ?

– Je ne sais pas. Quelle heure est-il ?

– Dix heures. Tu vas sur tes quinze ans. Ne crois-tu pas qu'il est temps d'avoir le courage de tes sentiments ?

À dix heures trente, je me suis décidé et j'ai marché jusqu'à la porte de sa chambre qui était ouverte.

– Salut, Peggy, c'est Oscar.

Elle était posée sur son lit, on aurait dit Blanche-Neige[1] lorsqu'elle attend le prince, quand ces couillons de nains croient qu'elle est morte, Blanche-Neige comme les photos de neige où la neige est bleue, non pas blanche.

Elle s'est tournée vers moi et là, je me suis demandé si elle allait me prendre pour le prince ou l'un des nains. Moi, j'aurais coché « nain » à cause de mon crâne d'œuf mais elle n'a rien dit, et c'est ça qu'est bien, avec Peggy Blue, c'est qu'elle ne dit jamais rien et que tout reste mystérieux.

– Je suis venu t'annoncer que, ce soir, et tous les soirs suivants, si tu veux bien, je monterai la garde devant ta chambre pour te protéger des fantômes.

---

1. Personnage d'un conte transcrit par les frères Grimm.

Elle m'a regardé, elle a battu des cils et j'ai eu l'impression que le film passait au ralenti, que l'air devenait plus aérien[1], le silence plus silencieux, que je marchais comme dans de l'eau et que tout changeait lorsqu'on s'approchait de son lit éclairé par une lumière qui tombait de nulle part.

– Hé, minute, Crâne d'Œuf : c'est moi qui garderai Peggy !

Pop Corn se tenait dans l'encadrement de la porte, ou plutôt, il remplissait l'encadrement de la porte. J'ai tremblé. Sûr que si c'est lui qui fait la garde, ça sera efficace, aucun fantôme ne pourra plus passer.

Pop Corn a fait un clin d'œil à Peggy.

– Hein, Peggy ? Toi et moi, on est copains, non ?

Peggy a regardé le plafond. Pop Corn a pris ça pour une confirmation et m'a tiré dehors.

– Si tu veux une fille, tu prends Sandrine. Peggy, c'est chasse gardée.

– De quel droit ?

– Du droit que j'étais là avant toi. Si t'es pas content, on peut se battre.

– En fait, je suis super-content.

J'étais un peu fatigué et je suis allé m'asseoir dans la salle de jeux. Justement, il y avait Sandrine. Sandrine, elle est leucémique, comme moi, mais elle, son traitement a l'air de réussir. On l'appelle la Chinoise parce qu'elle a une perruque noire,

---

1. Léger.

brillante, aux cheveux raides, avec une frange, et que ça la fait ressembler à une Chinoise. Elle me regarde et fait éclater une bulle de chewing-gum.

– Tu peux m'embrasser, si tu veux.

– Pourquoi ? Le chewing-gum te suffit pas ?

– T'es même pas capable, minus[1]. Je suis sûre que tu ne l'as jamais fait.

– Alors là, tu me fais rigoler. À quinze ans, je l'ai déjà fait plusieurs fois, je peux t'assurer.

– T'as quinze ans ? qu'elle me fait, surprise.

Je vérifie à ma montre.

– Oui. Quinze ans passés.

– J'ai toujours rêvé d'être embrassée par un grand de quinze ans.

– C'est sûr, c'est tentant, que je dis.

Et là, elle me fait une grimace pas possible avec ses lèvres qu'elle pousse en avant, on dirait une ventouse qui s'écrase sur une vitre, et je comprends qu'elle attend un baiser.

En me retournant, je vois tous les copains qui m'observent. Pas moyen de me dégonfler. Faut être un homme. C'est l'heure.

Je m'approche et je l'embrasse. Elle m'accroche avec les bras, je ne peux plus m'en décoller, ça mouille, et tout d'un coup, sans prévenir elle me refile son chewing-gum. De surprise, je l'ai avalé tout rond. J'étais furieux.

---

1. Minable, moins que rien.

C'est à ce moment-là qu'une main m'a tapé dans le dos. Un malheur n'arrive jamais seul : mes parents. On était dimanche et j'avais oublié !

— Tu nous présentes ton amie, Oscar ?

145 — Ce n'est pas mon amie.

— Tu nous la présentes quand même ?

— Sandrine. Mes parents. Sandrine.

— Je suis ravie de vous connaître, dit la Chinoise en prenant des airs sucrés.

150 Je l'aurais étranglée.

— Veux-tu que Sandrine vienne avec nous dans ta chambre ?

— Non. Sandrine reste ici.

De retour dans mon lit, je me suis rendu compte que j'étais fatigué et j'ai dormi un peu. De toute façon, je voulais pas leur 155 parler.

Quand je me suis réveillé, évidemment ils m'avaient apporté des cadeaux. Depuis que je suis en permanence à l'hôpital, mes parents ont du mal avec la conversation ; alors ils m'apportent des cadeaux et l'on passe des après-midi pourries à lire les règles 160 du jeu et les modes d'emploi. Mon père, il est intrépide[1] avec les notices : même quand elles sont en turc ou en japonais, il ne se décourage pas, il s'accroche au schéma. Il est champion du monde du dimanche après-midi gâché.

Aujourd'hui, il m'avait apporté un lecteur de disques. Là, j'ai 165 pas pu critiquer même si j'en avais envie.

— Vous n'êtes pas venus, hier ?

---

1. Audacieux.

– Hier ? Pourquoi veux-tu ? Nous ne pouvons que le dimanche. Qu'est-ce qui te fait dire ça ?

– Quelqu'un a vu votre voiture dans le parking.

– Il n'y a pas qu'une Jeep rouge au monde. C'est interchangeable, les voitures.

– Ouais. C'est pas comme les parents. Dommage.

Là, je les avais cloués sur place. Alors j'ai pris l'appareil à musique et j'ai écouté deux fois le disque *Casse-Noisette*[1], sans m'arrêter, devant eux. Deux heures sans qu'ils puissent dire un mot. Bien fait pour eux.

– Ça te plaît ?

– Ouais. J'ai sommeil.

Ils ont compris qu'ils devaient partir. Ils étaient mal comme tout. Ils ne pouvaient pas se décider. Je sentais qu'ils voulaient me dire des choses et qu'ils n'y arrivaient pas. C'était bon de les voir souffrir, à leur tour.

Puis ma mère s'est précipitée contre moi, m'a serré très fort, trop fort, et a dit d'une voix secouée :

– Je t'aime, mon petit Oscar, je t'aime tellement.

J'avais envie de résister mais au dernier moment je l'ai laissée faire, ça me rappelait le temps d'avant, le temps des gros câlins tout simples, le temps où elle n'avait pas un ton angoissé pour me dire qu'elle m'aimait.

---

1. Conte fantastique d'Hoffmann adapté musicalement en 1892 par Piotr Ilitch Tchaïkovski.

BIEN LIRE

L. 186 : À quoi Oscar a-t-il « envie de résister » ? Qu'est-ce qu'il ne parvient pas à gérer affectivement ?

190 Après ça, j'ai dû m'endormir un peu.

Mamie-Rose, c'est la championne du réveil. Elle arrive toujours sur la ligne d'arrivée au moment où j'ouvre les yeux. Et elle a toujours un sourire à ce moment-là.

— Alors, tes parents ?

195 — Nuls comme d'habitude. Enfin, ils m'ont offert *Casse-Noisette*.

— *Casse-Noisette* ? Ça, c'est curieux. J'avais une copine qui s'appelait comme ça. Une sacrée championne. Elle brisait le cou de ses adversaires entre ses cuisses. Et Peggy Blue, tu es allé la voir ?

200 — M'en parlez pas. Elle est fiancée à Pop Corn.

— Elle te l'a dit ?

— Non, lui.

— Du bluff[1] !

— Je crois pas. Je suis sûr qu'il lui plaît plus que moi. Il est
205 plus fort, plus rassurant.

— Du bluff, je te dis ! Moi qui avais l'air d'une souris sur un ring, j'en ai battu des catcheuses qui ressemblaient à des baleines ou à des hippopotames. Tiens, Plum Pudding[2], l'Irlandaise, cent cinquante kilos à jeun en slip avant sa
210 Guinness[3], des avant-bras comme mes cuisses, des biceps comme des jambons, des jambes dont je ne pouvais pas faire le tour. Pas de taille, pas de prises. Imbattable !

— Comment avez-vous fait ?

— Quand il n'y a pas de prise, c'est que c'est rond et que ça

1. Mensonge.
2. Gâteau britannique épais et spongieux.
3. Bière irlandaise.

roule. Je l'ai fait courir, histoire de la fatiguer, puis je l'ai renversée, Plum Pudding. Il a fallu un treuil[1] pour la relever. Toi, mon petit Oscar, tu as l'ossature[2] légère et tu n'as pas beaucoup de bifteck, c'est certain, mais la séduction, ça ne tient pas qu'à l'os et qu'à la viande, ça tient aussi aux qualités de cœur. Et ça, des qualités de cœur, tu en as plein.

– Moi ?

– Va voir Peggy Blue et dis-lui ce que tu as sur le cœur.

– Je suis un peu fatigué.

– Fatigué ? Quel âge as-tu à cette heure ? Dix-huit ans ? À dix-huit ans, on n'est pas fatigué.

Elle a une façon de parler, Mamie-Rose, qui donne de l'énergie.

La nuit était tombée, les bruits résonnaient plus fort dans la pénombre, le linoléum[3] du couloir réfléchissait la lune.

Je suis entré chez Peggy et lui ai tendu mon appareil à musique.

– Tiens. Écoute « La Valse des flocons ». C'est tellement joli que ça me fait penser à toi.

Peggy a écouté « La Valse des flocons ». Elle souriait comme si c'était une vieille copine, la valse, qui lui racontait des choses drôles à l'oreille.

Elle m'a rendu l'appareil et elle m'a dit :

1. Levier.
2. Structure du squelette.
3. Revêtement du sol.

BIEN LIRE L. 208-216 : Quelle est la leçon à tirer de l'exemple de « Plum Pudding » ?

– C'est beau.

C'était son premier mot. C'est chouette, non, comme pre-
240 mier mot ?

– Peggy Blue, je voulais te dire : je veux pas que tu te fasses
opérer. Tu es belle comme ça. Tu es belle en bleu.

Ça, j'ai bien vu que ça lui faisait plaisir. Je l'avais pas dit pour,
mais c'était clair que ça lui faisait plaisir.

245 – Je veux que ce soit toi, Oscar, qui me protèges des fantômes.

– Compte sur moi, Peggy.

J'étais vachement fier. Finalement, c'est moi qui avais gagné !

– Embrasse-moi.

250 Ça, c'est vraiment un truc de filles, le baiser, comme un
besoin chez elles. Mais Peggy, à la différence de la Chinoise, elle
n'est pas une vicieuse[1], elle m'a tendu la joue et c'est vrai que ça
m'a fait chaud, à moi aussi, de l'embrasser.

– Bonsoir, Peggy.

255 – Bonsoir, Oscar.

Voilà, Dieu, c'était ma journée. Je comprends que l'adolescence, on appelle ça l'âge ingrat[2]. C'est dur. Mais finalement,
sur le coup des vingt ans, ça s'arrange. Alors je t'adresse ma
demande du jour : je voudrais que Peggy et moi on se marie. Je
260 ne suis pas certain que le mariage appartienne aux choses de
l'esprit, si c'est bien ta catégorie. Est-ce que tu fais ce genre de

---

1. Perverse, méchante.
2. Déplaisant, laid.

vœu, le vœu agence matrimoniale[1] ? Si tu n'as pas ça en rayon, dis-le-moi vite que je puisse me tourner vers la bonne personne. Sans vouloir te presser, je te signale que je n'ai pas beaucoup de temps. Donc : mariage d'Oscar et Peggy Blue. Oui ou non. Vois si tu fais, ça m'arrangerait.

À demain, bisous,
Oscar.

P.-S. Au fait, c'est quoi, finalement, ton adresse ?

---

1. Agence qui organise des rencontres en vue d'un mariage.

BIEN LIRE

L. 256-266 : En quoi l'accélération du temps rend-elle Oscar très précoce ?
L. 269 : Quelle est l'idée implicite contenue dans l'adverbe « finalement » du post-scriptum ?

Cher Dieu,

Ça y est, je suis marié. Nous sommes le 21 décembre, je
marche vers mes trente ans et je me suis marié. Pour les enfants,
Peggy Blue et moi, on a décidé qu'on verra ça plus tard. En fait,
5 je crois qu'elle n'est pas prête.

Ça s'est passé cette nuit.

Vers une heure du matin, j'ai entendu la plainte de Peggy
Blue. Ça m'a redressé dans mon lit. Les fantômes! Peggy Blue
était torturée par les fantômes alors que je lui avais promis de
10 monter la garde. Elle allait se rendre compte que j'étais un
tocard[1], elle ne m'adresserait plus la parole et elle aurait raison.

Je me suis levé et j'ai marché jusqu'aux hurlements. En arri-
vant à la chambre de Peggy, je l'ai vue assise dans son lit, qui me
regardait venir, surprise. Moi aussi, je devais avoir l'air étonné,
15 car soudain j'avais Peggy Blue en face de moi qui me fixait, la
bouche fermée, et j'entendais pourtant toujours les cris.

Alors j'ai continué jusqu'à la porte suivante et j'ai compris que
c'était Bacon qui se tordait dans son lit à cause de ses brûlures.
Un instant, ça m'a donné mauvaise conscience, j'ai repensé au
20 jour où j'avais foutu le feu à la maison, au chat, au chien, quand
j'avais même grillé les poissons rouges – enfin, je pense qu'ils ont
dû surtout bouillir –, j'ai songé à ce qu'ils avaient vécu et je me
suis dit qu'après tout, ce n'était pas plus mal qu'ils y soient restés
plutôt que de n'en avoir jamais fini avec les souvenirs et les brû-
25 lures, comme Bacon, malgré les greffes et les crèmes.

1. Garçon pas sérieux.

lettre (4)

Bacon s'est recroquevillé[1] et a cessé de gémir. Je suis retourné chez Peggy Blue.

– Alors ce n'était pas toi, Peggy ? J'ai toujours cru que c'était toi qui criais la nuit.

– Et moi je croyais que c'était toi.

On n'en revenait pas de ce qui se passait, et de ce qu'on se disait : en réalité, chacun pensait à l'autre depuis longtemps.

Peggy Blue est devenue encore plus bleue, ce qui signifiait chez elle qu'elle était très gênée.

– Qu'est-ce que tu fais, maintenant, Oscar ?

– Et toi, Peggy ?

C'est fou ce qu'on a comme points communs, les mêmes idées, les mêmes questions.

– Est-ce que tu veux dormir avec moi ?

Les filles, c'est incroyable. Moi, une phrase comme ça, j'aurais mis des heures, des semaines, des mois à la mâcher[2] dans ma tête avant de la prononcer. Elle, elle me la sortait tout naturellement, tout simplement.

– O.K.

Et je suis monté dans son lit. On était un peu serrés mais on a passé une nuit formidable. Peggy Blue sent la noisette et elle a la peau aussi douce que moi à l'intérieur des bras mais elle,

---

1. Replié sur lui-même.
2. Retourner.

BIEN LIRE

L. 35-43 : Qu'est-ce qui a changé dans le comportement de Peggy Blue ? Rappelez-vous qu'Oscar disait d'elle qu'« elle était posée sur son lit » (p. 37, l. 81). Peut-on encore l'associer à Blanche-Neige ?

c'est partout. On a beaucoup dormi, beaucoup rêvé, on s'est tenus tout contre, on s'est raconté nos vies.

50   C'est sûr qu'au matin, quand Madame Gommette, l'infirmière-chef, nous a trouvés ensemble, ç'a été de l'opéra. Elle s'est mise à hurler, l'infirmière de nuit s'est mise à hurler aussi, elles ont hurlé l'une sur l'autre puis sur Peggy, puis sur moi, les portes claquaient, elles prenaient les autres à témoin, elles nous 55 traitaient de « petits malheureux » alors que nous étions très heureux et il a fallu que Mamie-Rose arrive pour mettre fin au concert.

    – Est-ce que vous allez foutre la paix à ces enfants ? Qui devez-vous satisfaire, les patients ou le règlement ? J'en ai rien à 60 cirer de votre règlement, je m'assois dessus. Maintenant, silence. Allez vous crêper le chignon[1] ailleurs. On n'est pas dans un vestiaire, ici.

    C'était sans réplique[2], comme toujours avec Mamie-Rose. Elle m'a ramené dans ma chambre et j'ai un peu dormi.

65   Au réveil, on a pu causer.

    – Alors, c'est du sérieux, Oscar, avec Peggy ?

    – C'est du béton, Mamie-Rose. Je suis super-heureux. On s'est mariés cette nuit.

    – Mariés ?

---

1. Allez vous battre.
2. Nulle réponse n'était attendue.

BIEN LIRE

L. 55 : Pourquoi les enfants sont-ils traités de « petits malheureux » ? Que craignent les infirmières ?

– Oui. On a fait tout ce que font un homme et une femme qui sont mariés.

– Ah bon ?

– Pour qui me prenez-vous ? J'ai – quelle heure est-il ? – j'ai vingt ans passés, je mène ma vie comme je l'entends, non ?

– Sûr.

– Et puis figurez-vous que tous les trucs qui me dégoûtaient avant, quand j'étais jeune, les baisers, les caresses, eh bien, finalement, ça m'a plu. C'est marrant comme on change, non ?

– Je suis ravie pour toi, Oscar. Tu pousses bien.

– Il n'y a qu'un truc qu'on n'a pas fait, c'est le baiser en mélangeant les langues. Peggy Blue avait peur que ça lui donne des enfants. Qu'est-ce que vous en pensez ?

– Je pense qu'elle a raison.

– Ah bon ? C'est possible d'avoir des enfants si on s'embrasse sur la bouche ? Alors je vais en avoir avec la Chinoise.

– Calme-toi, Oscar, il y a quand même peu de chances. Très peu.

Elle avait l'air sûre de son coup, Mamie-Rose, et ça m'a calmé un peu parce que, faut te dire, à toi, Dieu, et rien qu'à toi, qu'avec Peggy Blue, une fois, voire deux, voire plus, on avait mis la langue.

BIEN LIRE

L. 67-74 : Comment Oscar représente-t-il sa première nuit avec Peggy Blue ?

L. 83 : Que pensez-vous de la réaction de Mamie-Rose à l'évocation du « baiser en mélangeant les langues » ?

J'ai dormi un peu. On a déjeuné ensemble, Mamie-Rose et moi, et j'ai commencé à aller mieux.

– C'est fou comme j'étais fatigué, ce matin.

95 – C'est normal, entre vingt et vingt-cinq ans, on sort la nuit, on fait la fête, on mène une vie de patachon[1], on ne s'économise pas assez. Ça se paie. Si on allait voir Dieu ?

– Ah, ça y est, vous avez son adresse ?

– Je pense qu'il est à la chapelle.

100 Mamie-Rose m'a habillé comme si on partait pour le pôle Nord, elle m'a pris dans ses bras et m'a conduit à la chapelle qui se trouve au fond du parc de l'hôpital, au-delà des pelouses gelées, enfin, je vais pas t'expliquer où c'est, vu que c'est chez toi.

Ça m'a fait un choc quand j'ai vu ta statue, enfin, quand j'ai 105 vu l'état dans lequel tu étais, presque tout nu, tout maigre sur ta croix, avec des blessures partout, le crâne qui saigne sous les épines[2] et la tête qui ne tenait même plus sur le cou. Ça m'a fait penser à moi. Ça m'a révolté. Si j'étais Dieu, moi, comme toi, je ne me serais pas laissé faire.

110 – Mamie-Rose, soyez sérieuse : vous qui êtes catcheuse, vous qui avez été une grande championne, vous n'allez pas faire confiance à ça !

---

1. Une vie de fêtard.
2. Jésus fut coiffé d'une couronne d'épines avant d'être crucifié.

BIEN LIRE

L. 104 : Qui est, en fait, le Dieu de la chapelle ? Quelle est cette « statue » ?

– Pourquoi, Oscar ? Accorderais-tu plus de crédit à Dieu si tu voyais un culturiste[1] avec le bifteck ouvragé, le muscle saillant[2], la peau huilée, la petite coupe courte et le mini-slip avantageux ?

– Ben…

– Réfléchis, Oscar. De quoi te sens-tu le plus proche ? D'un Dieu qui n'éprouve rien ou d'un Dieu qui souffre ?

– De celui qui souffre, évidemment. Mais si j'étais lui, si j'étais Dieu, si, comme lui, j'avais les moyens, j'aurais évité de souffrir.

– Personne ne peut éviter de souffrir. Ni Dieu ni toi. Ni tes parents ni moi.

– Bon. D'accord. Mais pourquoi souffrir ?

– Justement. Il y a souffrance et souffrance. Regarde mieux son visage. Observe. Est-ce qu'il a l'air de souffrir ?

– Non. C'est curieux. Il n'a pas l'air d'avoir mal.

– Voilà. Il faut distinguer deux peines, mon petit Oscar, la souffrance physique et la souffrance morale[3]. La souffrance physique, on la subit. La souffrance morale, on la choisit.

– Je ne comprends pas.

– Si on t'enfonce des clous dans les poignets ou les pieds, tu

1. Adepte de cette gymnastique qui consiste à développer et à exhiber la musculature.
2. En relief, proéminent.
3. De l'esprit.

BIEN LIRE — L. 129-131 : Remarquez la distinction que Mamie-Rose établit à l'intérieur de la notion de « souffrance ». À quelle autre distinction mène-t-elle ?

ne peux pas faire autrement que d'avoir mal. Tu subis. En
135 revanche, à l'idée de mourir, tu n'es pas obligé d'avoir mal. Tu
ne sais pas ce que c'est. Ça dépend donc de toi.

– Vous en connaissez, vous, des gens qui se réjouissent à
l'idée de mourir ?

– Oui, j'en connais. Ma mère était comme ça. Sur son lit de
140 mort, elle souriait de gourmandise, elle était impatiente, elle
avait hâte de découvrir ce qui allait se passer.

Je pouvais plus argumenter[1]. Comme ça m'intéressait de
savoir la suite, j'ai laissé passer un peu de temps en réfléchissant
à ce qu'elle me disait.

145 – Mais la plupart des gens sont sans curiosité. Ils s'accro-
chent à ce qu'ils ont, comme le pou dans l'oreille d'un chauve.
Prends Plum Pudding, par exemple, ma rivale irlandaise, cent
cinquante kilos à jeun et en slip juste avant sa Guinness. Elle
me disait toujours : « Moi, désolée, je ne mourrai pas, je ne suis
150 pas d'accord, je n'ai pas signé. » Elle se trompait. Personne ne
lui avait dit que la vie devait être éternelle, personne ! Elle s'en-
têtait à le croire, elle se révoltait, elle refusait l'idée de passer, elle
devenait enragée, elle a fait une dépression[2], elle a maigri, elle a
arrêté le métier, elle ne pesait plus que trente-cinq kilos, on
155 aurait dit une arête de sole, et elle s'est cassée en morceaux. Tu

1. Avancer des idées pour défendre une opinion.
2. Maladie psychique qui plonge le malade dans une forme de désespoir.

BIEN LIRE
L. 135-151 : À quoi Mamie-Rose oppose-t-elle « l'idée de mourir » ? Pourquoi dit-elle « idée de mourir » et non « mort » ? Quel est, selon elle, le discours par lequel les hommes se mentent ?

vois, elle est morte quand même, comme tout le monde, mais l'idée de mourir lui a gâché la vie.

— Elle était conne, Plum Pudding, Mamie-Rose.

— Comme un pâté de campagne. Mais c'est très répandu, le pâté de campagne. Très courant.

Là aussi, j'ai opiné de la tête[1] parce que j'étais assez d'accord.

— Les gens craignent de mourir parce qu'ils redoutent l'inconnu. Mais justement, qu'est-ce que l'inconnu ? Je te propose, Oscar, de ne pas avoir peur mais d'avoir confiance. Regarde le visage de Dieu sur la croix : il subit la peine physique mais il n'éprouve pas de peine morale car il a confiance. Du coup les clous le font moins souffrir. Il se répète : ça me fait mal mais ça ne peut pas être un mal. Voilà ! C'est ça, le bénéfice de la foi. Je voulais te le montrer.

— O.K., Mamie-Rose, quand j'aurai la trouille, je me forcerai à avoir confiance.

Elle m'a embrassé. Finalement, on était bien dans cette église déserte avec toi, Dieu, qui avais l'air si apaisé[2].

Au retour, j'ai dormi longtemps. J'ai de plus en plus sommeil. Comme une fringale. En me réveillant, j'ai dit à Mamie-Rose :

— En fait, je n'ai pas peur de l'inconnu. C'est juste que ça m'ennuie de perdre ce que je connais.

---

1. Consenti par un mouvement de tête.
2. Tranquille.

BIEN LIRE

L. 176-177 : Quelle définition de la mort Oscar livre-t-il ? Intègre-t-elle l'existence d'un Dieu ?

— Je suis comme toi, Oscar. Si on proposait à Peggy Blue de venir prendre le thé avec nous ?

180 Peggy Blue a pris le thé avec nous, elle s'entendait très bien avec Mamie-Rose, on a bien rigolé quand Mamie-Rose nous a raconté son combat avec les Sœurs Giclette, trois sœurs jumelles qui se faisaient passer pour une. Après chaque round[1], la Giclette qui avait épuisé son adversaire en gambadant[2] de 185 partout bondissait hors du ring en prétendant qu'elle devait aller faire pipi, elle se précipitait aux toilettes et c'était sa sœur qui revenait en pleine forme pour la reprise. Et ainsi de suite. Tout le monde croyait qu'il n'y avait qu'une Giclette, que c'était une sauteuse infatigable. Mamie-Rose a découvert le pot aux 190 roses[3], a enfermé les deux remplaçantes aux toilettes en jetant la clé par la fenêtre et elle est venue à bout de celle qui restait. C'est astucieux, le catch, comme sport.

Puis Mamie-Rose est partie. Les infirmières nous surveillent, Peggy Blue et moi, comme si on était des pétards prêts à explo-195 ser. Merde, j'ai trente ans, tout de même ! Peggy Blue m'a juré que, ce soir, c'est elle qui me rejoindrait dès qu'elle pourrait ; en échange, je lui ai juré que, cette fois, je ne mettrais pas la langue.

C'est vrai, c'est pas tout d'avoir des gosses, faut encore avoir le temps de les élever.

200 Voilà, Dieu. Je ne sais pas quoi te demander ce soir parce que ça a été une belle journée. Si. Fais en sorte que l'opération de

---

1. Partie, jeu.
2. Jouant des jambes.
3. La tromperie.

Peggy Blue, demain, se passe bien. Pas comme la mienne, si tu vois ce que je veux dire.

À demain, bisous,
Oscar.

P.-S. Les opérations, ce ne sont pas des choses de l'esprit, tu n'as peut-être pas ça en magasin. Alors fais en sorte que, quel que soit le résultat de l'opération, Peggy Blue le prenne bien. Je compte sur toi.

Cher Dieu,

Peggy Blue a été opérée aujourd'hui. J'ai passé dix années terribles. C'est dure la trentaine, c'est l'âge des soucis et des res-
ponsabilités.

5   En fait, Peggy n'a pas pu me rejoindre cette nuit parce que
Madame Ducru, l'infirmière de nuit, est restée dans sa chambre
pour préparer Peggy à l'anesthésie. La civière l'a emmenée vers
huit heures. Ça m'a serré le cœur quand j'ai vu passer Peggy sur
le chariot, on la voyait à peine sous les draps émeraude[1] tant
10 elle est petite et mince.

Mamie-Rose m'a tenu la main pour m'empêcher de m'éner-
ver.

– Pourquoi ton Dieu, Mamie-Rose, il permet que ça soit
possible, des gens comme Peggy et moi ?

15   – Heureusement qu'il vous fait, mon petit Oscar, parce que
la vie serait moins belle sans vous.

– Non. Vous ne comprenez pas. Pourquoi Dieu il permet
qu'on soit malades ? Ou bien il est méchant. Ou bien il n'est
pas bien fortiche.

20   – Oscar, la maladie, c'est comme la mort. C'est un fait. Ce
n'est pas une punition.

---

1. Verts.

BIEN LIRE

**L. 20-21 : Remarquez la réponse indirecte que donne
Mamie-Rose à la question fondamentale posée par
Oscar. Quelle conception de la maladie refuse-t-elle ?
En quoi est-ce une réponse à la question d'Oscar ?**

lettre 5

– On voit que vous n'êtes pas malade !

– Qu'est-ce que tu en sais, Oscar ?

Ça, ça m'a coupé. J'avais jamais songé que Mamie-Rose, qui est toujours si disponible, si attentive, elle puisse avoir ses propres problèmes.

– Faut pas me cacher les choses, Mamie-Rose, vous pouvez tout me dire. J'ai au moins trente-deux ans, un cancer, une femme en salle d'opération, alors, la vie, ça me connaît.

– Je t'aime, Oscar.

– Moi aussi. Qu'est-ce que je peux faire pour vous si vous avez des ennuis ? Est-ce que vous voulez que je vous adopte ?

– M'adopter ?

– Oui, j'ai déjà adopté Bernard quand j'ai vu qu'il avait le blues.

– Bernard ?

– Mon ours. Là. Dans l'armoire. Sur l'étagère. C'est mon vieil ours, il n'a plus d'yeux, ni de bouche, ni de nez, il a perdu la moitié de son rembourrage[1] et il a des cicatrices partout. Il vous ressemble un peu. Je l'ai adopté le soir où mes deux cons de parents m'ont apporté un ours neuf. Comme si j'allais accepter d'avoir un ours neuf ! Ils n'avaient qu'à me remplacer par un petit frère tout neuf pendant qu'ils y étaient ! Depuis, je

---

1. Mousse qui remplit les peluches.

BIEN LIRE

L. 27-32 : En quoi voit-on qu'Oscar a réellement vieilli ?
Quel renversement des rôles peut-on observer ?

l'ai adopté. Je lui léguerai[1] tout ce que j'ai, à Bernard. Je veux
45 vous adopter aussi, si ça vous rassure.

– Oui. Je veux bien. Je crois que ça me rassurerait, Oscar.

– Alors topez là[2], Mamie-Rose.

Puis on est allés préparer la chambre de Peggy, apporter les
chocolats, poser des fleurs pour son retour.
50 Après, j'ai dormi. C'est fou ce que je dors en ce moment.

Vers la fin de l'après-midi, Mamie-Rose m'a réveillé en me
disant que Peggy Blue était revenue et que l'opération avait
réussi.

On est allés la voir ensemble. Ses parents se tenaient à son
55 chevet. J'ignore qui les avait prévenus, Peggy ou Mamie-Rose,
mais ils avaient l'air de savoir qui j'étais, ils m'ont traité avec
beaucoup de respect, ils m'ont posé une chaise entre eux et j'ai
pu veiller ma femme avec mes beaux-parents.

J'étais content parce que Peggy était toujours bleutée. Le
60 docteur Düsseldorf est passé, s'est frotté les sourcils et a dit que
ça allait changer dans les heures qui viennent. J'ai regardé la
mère de Peggy qui n'est pas bleue mais bien belle quand même
et je me suis dit qu'après tout, Peggy, ma femme, pouvait avoir
la couleur qu'elle voulait, je l'aimerais pareil.

---

1. Transmettrai.
2. Tapez dans ma main pour conclure le marché.

BIEN LIRE L. 50 : De quel processus le sommeil est-il le signe ?
L. 59 : Pourquoi Oscar se réjouit-il de voir Peggy « toujours bleutée » ? Quelle est, pour lui, la nature du lien qui l'unit à Peggy Blue ?

Peggy a ouvert les yeux, nous a souri, à moi, à ses parents, puis s'est rendormie.

Ses parents étaient rassurés mais ils devaient partir.

— Nous te confions notre fille, ils m'ont dit. Nous savons que nous pouvons compter sur toi.

Avec Mamie-Rose, j'ai tenu jusqu'à ce que Peggy ouvre les yeux une deuxième fois puis je suis allé me reposer dans ma chambre.

En finissant ma lettre, je me rends compte que c'était une bonne journée, aujourd'hui, finalement. Une journée de famille. J'ai adopté Mamie-Rose, j'ai bien sympathisé avec mes beaux-parents et j'ai récupéré ma femme en bonne santé, même si, vers onze heures, elle devenait rose.

À demain, bisous,
Oscar.

P.-S. Pas de vœu aujourd'hui. Ça te fera du repos.

Cher Dieu,

Aujourd'hui, j'ai eu de quarante à cinquante ans et je n'ai fait que des conneries.

Je raconte ça vite parce que ça mérite pas plus. Peggy Blue va bien mais la Chinoise, envoyée par Pop Corn qui ne peut plus me blairer, est venue lui cafter que je l'avais embrassée sur la bouche.

Du coup, Peggy m'a dit qu'elle et moi c'était fini. J'ai protesté, j'ai dit que la Chinoise et moi, c'était une erreur de jeunesse, que c'était bien avant elle, et qu'elle ne pouvait pas me faire payer mon passé toute ma vie.

Mais elle a tenu bon. Elle est même devenue copine avec la Chinoise pour me faire enrager et je les ai entendues qui rigolaient ensemble.

Du coup, quand Brigitte, la trisomique[1], qui colle toujours tout le monde parce que les trisomiques, c'est normal, c'est affectueux, est venue me dire bonjour dans ma chambre, je l'ai laissée m'embrasser de partout. Elle était folle de joie que je lui permette. On aurait dit un chien qui fait la fête à son maître.

Le problème, c'est qu'Einstein était dans le couloir. Il a peut-être de l'eau dans le cerveau mais pas des peaux de saucisson sur les yeux. Il a tout vu et est allé le raconter à Peggy et à la Chinoise. Tout l'étage me traite maintenant de cavaleur[2] alors que j'ai pas bougé de ma chambre.

---

1. Personne ayant une anomalie chromosomique qui entraîne un retard du développement.
2. Dragueur.

– Je ne sais pas ce qui m'a pris, Mamie-Rose, avec Brigitte...

– Le démon de midi[1], Oscar. Les hommes sont comme ça, entre quarante-cinq et cinquante ans, ils se rassurent, ils vérifient qu'ils peuvent plaire à d'autres femmes que celle qu'ils aiment.

– Bon d'accord, je suis normal mais je suis con, aussi, non ?

– Oui. Tu es tout à fait normal.

– Qu'est-ce que je dois faire ?

– Qui aimes-tu ?

– Peggy. Rien que Peggy.

– Alors dis-le-lui. Un premier couple, c'est fragile, toujours secoué, mais il faut se battre pour le conserver, si c'est le bon.

Demain, Dieu, c'est Noël. J'avais jamais réalisé que c'était ton anniversaire. Fais en sorte que je me réconcilie avec Peggy parce que je ne sais pas si c'est pour ça, mais je suis très triste ce soir et je n'ai plus de courage du tout.

À demain, bisous,
Oscar.

P.-S. Maintenant qu'on est copains, qu'est-ce que tu veux que je t'offre pour ton anniversaire ?

---

1. « Folie » sexuelle qui prendrait les hommes et femmes au milieu de leur existence.

BIEN LIRE

L. 26-36 : Sur quel mode Mamie-Rose s'entretient-elle avec Oscar ? À quelle place le met-elle ?
L. 43-44 : Quelle représentation Oscar a-t-il de sa relation à Dieu ?

Cher Dieu,

Ce matin, à huit heures, j'ai dit à Peggy Blue que je l'aimais, que je n'aimais qu'elle et que je pouvais pas concevoir[1] ma vie sans elle. Elle s'est mise à pleurer, elle m'a avoué que je la déli-
5 vrais d'un gros chagrin parce qu'elle aussi elle n'aimait que moi et qu'elle ne trouverait jamais personne d'autre, surtout main-tenant qu'elle était rose.

Alors, c'est curieux, on s'est retrouvés tous les deux à sanglo-ter mais c'était très agréable. C'est chouette, la vie de couple.
10 Surtout après la cinquantaine quand on a traversé des épreuves.

Sur le coup des dix heures, je me suis vraiment rendu compte que c'était Noël, que je ne pourrais pas rester avec Peggy parce que sa famille – frères, oncles, neveux, cousins – allait débar-quer dans sa chambre et que j'allais être obligé de supporter
15 mes parents. Qu'est-ce qu'ils allaient m'offrir encore? Un puzzle de dix-huit mille pièces? Des livres en kurde[2]? Une boîte de modes d'emploi? Mon portrait du temps que j'étais en bonne santé? Avec deux crétins pareils, qui ont l'intelligence d'un sac-poubelle, il y avait de la menace à l'horizon, je pouvais
20 tout craindre, il n'y avait qu'une seule certitude, c'était que j'al-lais passer une journée à la con.

---

1. Imaginer.
2. Langue du peuple kurde, parlée dans le Nord-Ouest de l'Iran.

BIEN LIRE — L. 13-21 : Quelle est la différence entre la famille de Peggy et celle d'Oscar ? Qu'est-ce qu'Oscar redoute le plus ?

Je me suis décidé très vite et j'ai organisé ma fugue. Un peu de troc[1] : mes jouets à Einstein, mon duvet à Bacon et mes bonbons à Pop Corn. Un peu d'observation : Mamie-Rose passait toujours par le vestiaire avant de partir. Un peu de prévision : mes parents n'arriveraient pas avant midi. Tout s'est bien passé : à onze heures trente, Mamie-Rose m'a embrassé en me souhaitant une bonne journée de Noël avec mes parents puis a disparu à l'étage des vestiaires. J'ai sifflé. Pop Corn, Einstein et Bacon m'ont habillé très vite, m'ont descendu en me soulevant et m'ont porté jusqu'à la caisse de Mamie-Rose, une voiture qui doit dater d'avant l'automobile. Pop Corn, qui est très doué pour ouvrir les serrures parce qu'il a eu la chance d'être élevé dans une cité défavorisée, a crocheté la porte de derrière et ils m'ont jeté sur le sol entre la banquette de devant et la banquette de derrière. Puis ils sont retournés, ni vu ni connu, au bâtiment.

Mamie-Rose, au bout d'un bon bout de temps, est montée dans sa voiture, elle l'a fait crachoter dix à quinze fois avant de la faire démarrer puis on est partis à un train d'enfer. C'est génial, ce genre de voiture d'avant l'automobile, ça fait tellement de boucan qu'on a l'impression d'aller très vite et ça secoue autant qu'à la fête foraine.

Le problème, c'est que Mamie-Rose, elle avait dû apprendre à conduire avec un ami cascadeur : elle ne respectait ni les feux ni les trottoirs ni les ronds-points si bien que, de temps en

---

1. Échange d'objets.

temps, la voiture décollait. Ça a pas mal chahuté dans la car-
lingue[1], elle a beaucoup klaxonné, et, question vocabulaire
aussi, c'était enrichissant : elle balançait toutes sortes de mots
50 terribles pour insulter les ennemis qui se mettaient en travers de
son chemin et je me suis dit encore une fois que, décidément,
le catch, c'était une bonne école pour la vie.

J'avais prévu, à l'arrivée, de bondir et de faire : « Coucou,
Mamie-Rose » mais ça a duré tellement longtemps, la course
55 d'obstacles pour arriver chez elle, que j'ai dû m'endormir.

Toujours est-il qu'à mon réveil, il faisait noir, il faisait froid,
silence, et je me retrouvais seul couché sur un tapis humide.
C'est là que j'ai pensé, pour la première fois, que j'avais peut-
être fait une bêtise.

60 Je suis sorti de la voiture et il s'est mis à neiger. Pourtant
c'était beaucoup moins agréable que « La Valse des flocons »
dans *Casse-Noisette*. J'avais les dents qui sautaient toutes seules.

J'ai vu une grande maison allumée. J'ai marché. J'avais du
mal. J'ai dû faire un tel saut pour atteindre la sonnette que je
65 me suis effondré sur le paillasson.

C'est là que Mamie-Rose m'a trouvé.

– Mais... mais..., qu'elle a commencé à dire.

Puis elle s'est penchée vers moi et a murmuré :

---

1. Enveloppe de métal de la voiture.

BIEN LIRE   **L. 63-65 : À quel type de récit vous fait penser cette phrase ? À quel personnage associeriez-vous Oscar ?**

– Mon chéri.

Alors, j'ai pensé que j'avais peut-être pas fait une bêtise.

Elle m'a porté dans son salon, où elle avait dressé un grand arbre de Noël qui clignait des yeux. J'étais étonné de voir comme c'était beau, chez Mamie-Rose. Elle m'a réchauffé auprès du feu et on a bu un grand chocolat. Je me doutais qu'elle voulait d'abord s'assurer que j'allais bien avant de m'engueuler. Moi, du coup, je prenais tout mon temps pour me remettre, j'avais pas de mal à y arriver d'ailleurs parce que, en ce moment, je suis vraiment fatigué.

– Tout le monde te cherche à l'hôpital, Oscar. C'est le branle-bas de combat[1]. Tes parents sont désespérés. Ils ont prévenu la police.

– Ça m'étonne pas d'eux. S'ils sont assez bêtes pour croire que je vais les aimer quand j'aurai les menottes...

– Qu'est-ce que tu leur reproches ?

– Ils ont peur de moi. Ils n'osent pas me parler. Et moins ils osent, plus j'ai l'impression d'être un monstre. Pourquoi est-ce que je les terrorise ? Je suis si moche que ça ? Je pue ? Je suis devenu idiot sans m'en rendre compte ?

– Ils n'ont pas peur de toi, Oscar. Ils ont peur de la maladie.

– Ma maladie, ça fait partie de moi. Ils n'ont pas à se comporter différemment parce que je suis malade. Ou alors ils ne peuvent aimer qu'un Oscar en bonne santé ?

– Ils t'aiment, Oscar. Ils me l'ont dit.

---

1. Agitation désordonnée.

— Vous leur parlez ?

95 — Oui. Ils sont très jaloux que nous nous entendions si bien. Non, pas jaloux, tristes. Tristes de ne pas y parvenir aussi. *réussir*

J'ai haussé les épaules mais j'étais déjà un peu moins en colère. Mamie-Rose m'a fait un deuxième chocolat chaud.

— Tu sais, Oscar. Tu vas mourir, un jour. Mais tes parents, ils
100 vont mourir aussi.

J'étais étonné par ce qu'elle me disait. Je n'y avais jamais pensé.

— Oui. Ils vont mourir aussi. Tout seuls. Et avec le remords terrible de n'avoir pas pu se réconcilier avec leur seul enfant, un Oscar qu'ils adoraient.

105 — Dites pas des choses comme ça, Mamie-Rose, ça me fout le cafard. *avoir le cafard = triste*

— Pense à eux, Oscar. Tu as compris que tu allais mourir parce que tu es un garçon très intelligent. Mais tu n'as pas compris qu'il n'y a pas que toi qui meurs. Tout le monde meurt. Tes
110 parents, un jour. Moi, un jour.

— Oui. Mais enfin tout de même, je passe devant.

— C'est vrai. Tu passes devant. Cependant est-ce que, sous prétexte que tu passes devant, tu as tous les droits ? Et le droit d'oublier les autres ?

115 — J'ai compris, Mamie-Rose. Appelez-les.

BIEN LIRE — L. 89-104 : En quoi le discours de Mamie-Rose a-t-il changé ? Quel est le ton du dialogue ? Quel en est l'enjeu ?

Voilà, Dieu, la suite, je te la fais brève parce que j'ai le poi-
gnet qui fatigue. Mamie-Rose a prévenu l'hôpital, qui a prévenu mes parents, qui sont venus chez Mamie-Rose et on a tous
fêté Noël ensemble.

Quand mes parents sont arrivés, je leur ai dit :

– Excusez-moi, j'avais oublié que, vous aussi, un jour, vous
alliez mourir.

Je ne sais pas ce que ça leur a débloqué, cette phrase, mais
après, je les ai retrouvés comme avant et on a passé une super-
soirée de Noël.

Au dessert, Mamie-Rose a voulu regarder à la télévision la
messe de minuit et aussi un match de catch qu'elle avait enre-
gistré. Elle dit que ça fait des années qu'elle se garde toujours
un match de catch à visionner avant la messe de minuit pour se
mettre en jambes, que c'est une habitude, que ça lui ferait bien
plaisir. Du coup, on a tous regardé un combat qu'elle avait mis
de côté. C'était formidable. Méphista contre Jeanne d'Arc !
Maillots de bain et cuissardes ! Des sacrées gaillardes ! comme
disait papa qui était tout rouge et qui avait l'air d'aimer ça, le
catch. Le nombre de coups qu'elles se sont mis sur la gueule,
c'est pas imaginable. Moi, je serais mort cent fois dans un combat pareil. C'est une question d'entraînement, m'a dit Mamie-

BIEN LIRE

L. 123-125 : Qu'est-ce que les parents voulaient entendre de la
bouche d'Oscar ? Quelle a été la fonction de Mamie-Rose ?

Rose, les coups sur la gueule, plus t'en prends, plus tu peux en prendre. Faut toujours garder l'espoir. Au fait, c'est Jeanne
140 d'Arc qui a gagné, alors que, vraiment, au début on n'aurait pas cru : ça a dû te faire plaisir.

À propos, bon anniversaire, Dieu. Mamie-Rose, qui vient de me coucher dans le lit de son fils aîné qui était vétérinaire au Congo[1] avec les éléphants, m'a suggéré que, comme cadeau
145 d'anniversaire pour toi, c'était très bien, ma réconciliation avec mes parents. Moi, franchement, je trouve ça limite comme cadeau. Mais si Mamie-Rose, qui est une vieille copine à toi, le dit...

À demain, bisous,
150   Oscar.

P.-S. J'oubliais mon vœu : que mes parents restent toujours comme ce soir. Et moi aussi. C'était un chouette Noël, surtout Méphista contre Jeanne d'Arc. Désolé pour ta messe, j'ai décroché avant.

---

1. Pays d'Afrique équatoriale.

BIEN LIRE

L. 138-139 « Les coups sur la gueule, plus t'en prends, plus tu peux en prendre » : Que pensez-vous de cette affirmation ?

Cher Dieu,

J'ai soixante ans passés et je paie l'addition pour tous les abus[1] que j'ai faits hier soir. Ça n'a pas été la grande forme aujourd'hui.

Ça m'a fait plaisir de revenir chez moi, à l'hôpital. On devient comme ça, quand on est vieux, on n'aime plus voyager. Sûr que je n'ai plus envie de partir.

Ce que je ne t'ai pas dit dans ma lettre d'hier, c'est que, chez Mamie-Rose, sur une étagère, dans l'escalier, il y avait une statue de Peggy Blue. Je te jure. Exactement la même, en plâtre, avec le même visage très doux, la même couleur bleue sur les vêtements et sur la peau. Mamie-Rose prétend que c'est la Vierge Marie, ta mère d'après ce que j'ai compris, une madone[2] héréditaire[3] chez elle depuis plusieurs générations. Elle a accepté de me la donner. Je l'ai mise sur ma table de chevet. De toute façon, ça reviendra un jour dans la famille de Mamie-Rose puisque je l'ai adoptée.

Peggy Blue va mieux. Elle est venue me rendre visite en fauteuil. Elle ne s'est pas reconnue dans la statue mais on a passé un joli moment ensemble. On a écouté *Casse-Noisette* en se tenant la main et ça nous a rappelé le bon temps.

1. Excès.
2. Vierge.
3. Transmise de génération en génération.

BIEN LIRE

L. 1 : Dans quelle phase de son existence Oscar s'est-il désormais installé ?
L. 21 : Quel sentiment exprime-t-il en parlant du « bon temps » ?

Je te parle pas plus longtemps parce que je trouve le stylo un peu lourd. Tout le monde est malade ici, même le docteur Düsseldorf, à cause des chocolats, des foies gras, des marrons
25 glacés et du champagne que les parents ont offerts en masse au personnel soignant. J'aimerais bien que tu me rendes visite.

Bisous, à demain,
Oscar.

BIEN LIRE L. 26 : La nature du vœu a changé : de quel ordre est-il ?

Oscar et la dame rose

Cher Dieu,

Aujourd'hui, j'ai eu de soixante-dix à quatre-vingts ans et j'ai beaucoup réfléchi.

D'abord, j'ai utilisé le cadeau de Mamie-Rose pour Noël. Je ne sais pas si je t'en avais parlé ? C'est une plante du Sahara qui vit toute sa vie en un seul jour. Sitôt que la graine reçoit de l'eau, elle bourgeonne, elle devient tige, elle prend des feuilles, elle fait une fleur, elle fabrique des graines, elle se fane, elle se raplatit et, hop, le soir c'est fini. C'est un cadeau génial, je te remercie de l'avoir inventé. On l'a arrosée ce matin à sept heures, Mamie-Rose, mes parents et moi – au fait, je ne sais si je t'ai dit, ils habitent en ce moment chez Mamie-Rose parce que c'est moins loin – et j'ai pu suivre toute son existence. J'étais ému. C'est sûr qu'elle est plutôt chétive[1] et riquiqui comme fleur – elle n'a rien d'un baobab mais elle a fait bravement tout son boulot de plante, comme une grande, devant nous en une journée, sans s'arrêter.

Avec Peggy Blue, on a beaucoup lu le *Dictionnaire médical.* C'est son livre préféré. Elle est passionnée par les maladies et elle se demande lesquelles elle pourra avoir plus tard. Moi, j'ai regardé les mots qui m'intéressaient : « Vie », « Mort », « Foi[2] »,

---

1. Faible, maigre.
2. Croyance en Dieu.

BIEN LIRE

L. 5-6 : Quel est le message contenu dans le cadeau éphémère de Mamie-Rose ?

« Dieu ». Tu me croiras si tu veux, ils n'y étaient pas ! Remarque, ça prouve déjà que ce ne sont pas des maladies, ni la vie, ni la mort, ni la foi, ni toi. Ce qui est plutôt une bonne nouvelle. 25 Pourtant, dans un livre aussi sérieux, il devrait y avoir des réponses aux questions les plus sérieuses, non ?

– Mamie-Rose, j'ai l'impression que, dans le *Dictionnaire médical,* il n'y a que des trucs particuliers, des problèmes qui peuvent arriver à tel ou tel bonhomme. Mais il n'y a pas les 30 choses qui nous concernent tous : la Vie, la Mort, la Foi, Dieu.

– Il faudrait peut-être prendre un *Dictionnaire de philoso- phie,* Oscar. Cependant, même si tu trouves bien les idées que tu cherches, tu risques d'être déçu aussi. Il propose plusieurs réponses très différentes pour chaque notion[1].

35 – Comment ça se fait ?

– Les questions les plus intéressantes restent des questions. Elles enveloppent un mystère. À chaque réponse, on doit joindre un « peut-être ». Il n'y a que les questions sans intérêt qui ont une réponse définitive.

40 – Vous voulez dire qu'à « Vie », il n'y a pas de solution ?

– Je veux dire qu'à « Vie », il y a plusieurs solutions, donc pas de solution.

---

1. Idée, concept.

BIEN LIRE L. 25-44 : Quelle différence faites-vous entre une réponse et une solution ?

– Moi, c'est ce que je pense, Mamie-Rose, il n'y a pas de solution à la vie sinon vivre.

Le docteur Düsseldorf est passé nous voir. Il traînait son air de chien battu, ce qui le rend encore plus expressif, avec ses grands sourcils noirs.

– Est-ce que vous vous coiffez les sourcils, docteur Düsseldorf ? j'ai demandé.

Il a regardé autour de lui, très surpris, il avait l'air de demander à Mamie-Rose, à mes parents, s'il avait bien entendu. Il a fini par dire oui d'une voix étouffée.

– Faut pas tirer une tête pareille, docteur Düsseldorf. Écoutez, je vais vous parler franchement parce que moi, j'ai toujours été très correct sur le plan médicament et vous, vous avez été impeccable sur le plan maladie. Arrêtez les airs coupables. Ce n'est pas de votre faute si vous êtes obligé d'annoncer des mauvaises nouvelles aux gens, des maladies aux noms latins et des guérisons impossibles. Faut vous détendre. Vous décontracter. Vous n'êtes pas Dieu le Père. Ce n'est pas vous qui commandez à la nature. Vous êtes juste réparateur. Faut lever le pied, docteur Düsseldorf, relâcher la pression et pas vous donner trop d'importance, sinon vous n'allez pas pouvoir continuer ce métier longtemps. Regardez déjà la tête que vous avez.

BIEN LIRE

L. 54-64 : Sur quel ton Oscar s'adresse-t-il au docteur Düsseldorf ? En quoi son discours pose-t-il un des problèmes fondamentaux de la médecine ?

65 En m'écoutant, le docteur Düsseldorf avait la bouche comme s'il gobait[1] un œuf. Puis il a souri, un vrai sourire, et il m'a embrassé.

– Tu as raison, Oscar. Merci de m'avoir dit ça.

– De rien, docteur. À votre service. Revenez quand vous 70 voulez.

Voilà, Dieu. Toi, par contre, j'attends toujours ta visite. Viens. N'hésite pas. Viens, même si j'ai beaucoup de monde en ce moment. Ça me ferait vraiment plaisir.

À demain, bisous,

75 Oscar.

---

1. Avalait tout cru.

Oscar et la dame rose

Cher Dieu,

Peggy Blue est partie. Elle est rentrée chez ses parents. Je ne suis pas idiot, je sais très bien que je ne la reverrai jamais.

Je ne t'écrirai pas parce que je suis trop triste. On a passé notre vie ensemble, Peggy et moi, et maintenant je me retrouve seul, chauve, ramolli, et fatigué dans mon lit. C'est moche de vieillir.

Aujourd'hui, je ne t'aime plus.

Oscar.

Cher Dieu,

Merci d'être venu.

T'as choisi pile ton moment parce que j'allais pas bien. Peut-être aussi que tu étais vexé à cause de ma lettre d'hier...

5　Quand je me suis réveillé, j'ai songé que j'avais quatre-vingt-dix ans et j'ai tourné la tête vers la fenêtre pour regarder la neige.

Et là, j'ai deviné que tu venais. C'était le matin. J'étais seul sur la Terre. Il était tellement tôt que les oiseaux dormaient
10　encore, que même l'infirmière de nuit, Madame Ducru, avait dû piquer un roupillon[1], et toi tu essayais de fabriquer l'aube. Tu avais du mal mais tu insistais. Le ciel pâlissait. Tu gonflais les airs de blanc, de gris, de bleu, tu repoussais la nuit, tu ravivais le monde. Tu n'arrêtais pas. C'est là que j'ai compris la dif-
15　férence entre toi et nous : tu es le mec infatigable ! Celui qui ne se lasse pas. Toujours au travail. Et voilà du jour ! Et voilà de la nuit ! Et voilà le printemps ! Et voilà l'hiver ! Et voilà Peggy Blue ! Et voilà Oscar ! Et voilà Mamie-Rose ! Quelle santé !

J'ai compris que tu étais là. Que tu me disais ton secret :
20　regarde chaque jour le monde comme si c'était la première fois.

Alors j'ai suivi ton conseil et je me suis appliqué. La première

---

1. Petit somme.

L. 11-14 : Dans quelle fonction Dieu se manifeste-t-Il ?

fois. Je contemplais la lumière, les couleurs, les arbres, les oiseaux, les animaux. Je sentais l'air passer dans mes narines et me faire respirer. J'entendais les voix qui montaient dans le couloir comme dans la voûte d'une cathédrale. Je me trouvais vivant. Je frissonnais de pure joie. Le bonheur d'exister. J'étais émerveillé.

Merci, Dieu, d'avoir fait ça pour moi. J'avais l'impression que tu me prenais par la main et que tu m'emmenais au cœur du mystère contempler le mystère. Merci.

À demain, bisous,
Oscar.

P.-S. Mon vœu : est-ce que tu peux refaire le coup de la première fois à mes parents ? Mamie-Rose je crois qu'elle connaît déjà. Et puis Peggy, aussi, si tu as le temps...

BIEN LIRE

L. 33-34 : Trouvez un synonyme au « coup de la première fois ». Quel ton prend cette avant-dernière lettre ? Notez la place du pronom « je ».

Cher Dieu,

Aujourd'hui j'ai cent ans. Comme Mamie-Rose. Je dors beaucoup mais je me sens bien.

J'ai essayé d'expliquer à mes parents que la vie, c'était un drôle de cadeau. Au départ, on le surestime[1], ce cadeau : on croit avoir reçu la vie éternelle. Après, on le sous-estime[2], on le trouve pourri, trop court, on serait presque prêt à le jeter. Enfin, on se rend compte que ce n'était pas un cadeau, mais juste un prêt. Alors on essaie de le mériter. Moi qui ai cent ans, je sais de quoi je parle. Plus on vieillit, plus faut faire preuve de goût pour apprécier la vie. On doit devenir raffiné, artiste. N'importe quel crétin peut jouir[3] de la vie à dix ou à vingt ans, mais à cent, quand on ne peut plus bouger, faut user de son intelligence.

Je ne sais pas si je les ai bien convaincus.

Visite-les. Finis le travail. Moi je fatigue un peu.

À demain, bisous,
Oscar.

1. Lui donne plus de valeur qu'il n'en a.
2. Lui donne moins de valeur qu'il n'en a.
3. Profiter.

BIEN LIRE

L. 15 : Quel « travail » Oscar a-t-il entrepris auprès des autres ?

Cher Dieu,

Cent dix ans. Ça fait beaucoup. Je crois que je commence à mourir.

Oscar.

Cher Dieu,

Le petit garçon est mort.

Je serai toujours dame rose mais je ne serai plus Mamie-Rose. Je ne l'étais que pour Oscar.

5   Il s'est éteint ce matin, pendant la demi-heure où ses parents et moi nous sommes allés prendre un café. Il a fait ça sans nous. Je pense qu'il a attendu ce moment-là pour nous épargner. Comme s'il voulait nous éviter la violence de le voir disparaître. C'était lui, en fait, qui veillait sur nous.

10   J'ai le cœur gros, j'ai le cœur lourd, Oscar y habite et je ne peux pas le chasser. Il faut que je garde encore mes larmes pour moi, jusqu'à ce soir, parce que je ne veux pas comparer ma peine à celle, insurmontable, de ses parents.

Merci de m'avoir fait connaître Oscar. Grâce à lui, j'étais 15 drôle, j'inventais des légendes, je m'y connaissais même en catch. Grâce à lui, j'ai ri et j'ai connu la joie. Il m'a aidée à croire en toi. Je suis pleine d'amour, ça me brûle, il m'en a tant donné que j'en ai pour toutes les années à venir.

À bientôt,
20   Mamie-Rose.

BIEN LIRE   **L. 2 : Qui est l'auteur de cette lettre ?**

P.-S. Les trois derniers jours, Oscar avait posé une pancarte sur sa table de chevet. Je crois que cela te concerne. Il y avait écrit : « *Seul Dieu a le droit de me réveiller.* »

BIEN LIRE

L. 23 : Dans le mot d'Oscar, à quoi la mort est-elle associée ? Sur quelle note s'achève le récit ?

Après-texte

LA SITUATION D'ÉNONCIATION

Lire

1 Qui est l'émetteur de l'énoncé et par quel pronom est-il désigné? Qui est le destinataire de l'énoncé et par quel pronom le narrateur le désigne-t-il?

2 Pourquoi peut-on parler de «personnage-narrateur»? Le narrateur est-il le même d'un bout à l'autre du récit? Justifiez votre réponse.

3 Quel est l'âge du narrateur au début du récit? Quel âge se donne-t-il à la fin? Expliquez le procédé qui a modifié le décompte des ans du personnage.

4 Connaît-on précisément le nombre de jours qui se sont écoulés entre la première et la dernière lettre? À partir de quel moment peut-on dater précisément leur rédaction?

5 Comparez le rapport entre le temps de l'histoire (la durée fictive des événements racontés, comptée en jours, heures...) et le temps du récit (compté en pages): que diriez-vous du rythme de la narration?

6 Le lecteur en sait-il plus que le narrateur ou vit-il les différents épisodes de la narration en même temps que lui? Comment appelle-t-on ce point de vue? Quel type de relation induit-il entre le personnage principal et le lecteur?

7 Pourquoi peut-on presque parler d'«unité de lieu» pour ce récit?

8 Quelle est la place accordée aux paroles rapportées? Sont-elles reformulées au style direct, indirect ou indirect libre?

9 Quels sont les deux registres de langue utilisés? Les marques d'oralité sont-elles nombreuses? Pourquoi ce choix de la part de l'auteur?

10 De quelle forme du biographique pourrait-on rapprocher cette histoire de vie et de mort?

Écrire

11 Oscar ne fait ni le portrait de lui-même, ni celui de Mamie-Rose. À partir des quelques indices donnés dans la première lettre, imaginez l'autoportrait qu'aurait pu écrire Oscar, en conservant le même ton de dérision; puis modifiez-le en adoptant le point de vue de Mamie-Rose.

12 Écrivez une page de votre journal intime dans laquelle vous faites le récit «après coup» d'une journée marquante, parce qu'elle fut grave, belle, importante pour vous et/ou votre entourage.

Chercher

13 Par quel terme précis désigne-t-on le début d'un récit? C'est un mot qui est passé directement du latin dans notre langue.

14 Quel autre récit d'Éric-Emmanuel Schmitt raconte une histoire d'amour entre un vieil homme et un enfant?

15 Citez d'autres romans par lettres. Attention! ne les confondez pas avec un autre genre littéraire: la correspondance.

À SAVOIR

NIVEAUX DE LANGUE ET SITUATION D'ÉNONCIATION

La manière dont l'émetteur s'exprime varie selon la situation de communication, notamment selon le statut du destinataire de l'énoncé. On distingue, en général, trois niveaux de langue: le niveau soutenu, le niveau courant et le niveau familier, qui présente de nombreuses marques d'oralité dans la prononciation, le vocabulaire ou les constructions grammaticales.

Nous pourrions citer de nombreux récits dans lesquels les paroles des enfants ou des adolescents sont rapportées directement dans un registre familier: *Les Misérables*, de Victor Hugo (1862), où Gavroche s'exclame: «Qu'est-ce que c'est que les mouchards? C'est des chiens. Nom d'unch! Ne manquons pas de respect aux chiens»; ou *Zazie dans le métro*, de Raymond Queneau (1959), dont l'héroïne s'écrie en passant devant les Invalides: «Napoléon mon cul! M'intéresse pas du tout cet enflé avec son chapeau à la con!»

Ici, ce qui frappe, c'est la non-observation de la règle qui associe un registre de langue et un destinataire, ou un registre de langue et un émetteur: Oscar écrit ses lettres à Dieu dans un registre familier, voire argotique. Il faut dire que celles-ci retranscrivent les dialogues avec Mamie-Rose, personnage de vieille dame dont le langage choque parfois Oscar lui-même (page 14, l. 79). Il faut se souvenir aussi qu'Oscar prévient, dès les premières lignes (page 11, l. 6), qu'il a «horreur d'écrire».

Comment interpréter ce choix du registre familier? Comme le signe, inscrit dans le langage lui-même, de l'énergie vitale offerte par Mamie-Rose à Oscar, de son refus de laisser la souffrance maîtresse des mots? On peut dire plus directement que le jeu sur le décalage entre niveau de langue employé et situation de communication est créateur d'un effet comique, provocateur, en correspondance avec l'état d'esprit des deux personnages principaux.

Lire

1 Quelle est l'origine du nom qu'Oscar a donné à sa visiteuse ? Quelles connotations s'attachent à ce nom ? Justifiez votre réponse en fonction du vécu et de la subjectivité du personnage d'Oscar.

2 A-t-on, sur Mamie-Rose, un autre point de vue que celui du petit garçon ? Quelle identité Mamie-Rose s'attribue-t-elle ?

3 Dans la dernière lettre, Mamie-Rose écrit à Dieu (page 80, l. 14-15) : « Merci de m'avoir fait connaître Oscar. Grâce à lui, j'étais drôle, j'inventais des légendes. » Justifiez le regard rétrospectif du personnage sur lui-même.

4 Montrez que Mamie-Rose est présente à travers les actes de parole. En quoi la fonction principale de ce personnage permet-elle de justifier ce procédé ?

5 Sur quelle opposition Éric-Emmanuel Schmitt a-t-il construit le personnage de Mamie-Rose ? Comment se manifeste-t-elle à travers le langage ?

6 Quelle scène transforme la complicité entre Mamie-Rose et l'enfant en un lien plus « vital » ? Parallèlement, quelles sont les étapes de l'accompagnement d'Oscar vers l'acceptation de la mort ? Rappelez le jeu avec le temps qu'elle a inventé pour le petit garçon.

7 Quelle est la phrase par laquelle Oscar exprime subjectivement l'« effet Mamie-Rose » ? Étudiez particulièrement le discours que celle-ci tient au sujet de la maladie : en quoi est-il rassurant pour l'enfant ?

8 Comment Mamie-Rose amène-t-elle Oscar à plus d'autonomie, à l'« âge d'homme » ?

9 Dans quel épisode Mamie-Rose a-t-elle pour Oscar l'attention d'une grand-mère ?

Écrire

10 Quel regard portez-vous sur les personnes âgées : sur vos grands-parents, par exemple ? Qu'attendez-vous d'eux, au regard de votre développement affectif, psychologique, social... ?

11 Avez-vous déjà vécu, dans votre existence, une rencontre décisive qui a modifié votre regard sur la vie ? Faites le portrait de la personne rencontrée, évoquez les étapes de votre relation et expliquez les changements que celle-ci a apportés.

12 Quelles images l'expression « dame rose » évoque-t-elle pour vous ?

POUR COMPRENDRE

Chercher

13 Connaissez-vous d'autres récits ou des films construits sur la rencontre décisive entre une personne âgée et un enfant ou un adolescent ? Donnez le titre, l'auteur et le nom des deux personnages principaux.

14 Mamie-Rose offre à Oscar une plante du Sahara « qui vit toute sa vie en un seul jour » (page 71, l. 5-6) : remplacez la proposition relative par un adjectif qui en est le synonyme exact.

15 Quelles sociétés accordent traditionnellement une place essentielle à la relation « anciens/enfants » ?

À SAVOIR

L'EXPRESSION DE LA SUBJECTIVITÉ : LA MODALISATION

Un énoncé est subjectif quand l'énonciateur présente la réalité à travers son propre regard et son propre jugement. Or, la fonction même du personnage de Mamie-Rose – accompagner Oscar dans l'acceptation de la maladie et de la mort par la présence et le dialogue avec lui – implique l'expression d'un regard, d'un jugement. On parle de modalisation quand l'énonciateur utilise dans son énoncé des procédés qui traduisent sa présence et son jugement. L'emploi de modalisateurs et d'un lexique évaluatif fait partie de ces procédés. Les modalisateurs sont des mots, des expressions qui traduisent le degré de certitude que l'énonciateur attribue à son discours. Le personnage de Mamie-Rose est censé exprimer la certitude : celle des anciens qui ont « de l'expérience », celle de l'amie qui console et celle de ceux qui « croient » (cf. page 18, l. 178-179 : « Je ne crois pas au Père Noël, mais je crois en Dieu. Voilà. »). Son discours utilise donc des termes qui affirment son propos : des verbes comme « je crois que » (page 17, l. 153), « je pense que » (page 49, l. 83 ; page 50, l. 99), « il faut » (page 51, l. 129) ; des adverbes comme « justement » (page 53, l. 163), « voilà » (page 18, l. 179). On peut même considérer que l'emploi du futur simple de l'indicatif, comme dans la page 19 (l. 186-187), appartient à ce système, puisque, dans cet emploi, le futur sert à exprimer la subjectivité de celui qui se projette dans l'avenir.

L'énonciateur peut employer aussi un lexique évaluatif, traduisant explicitement un jugement de valeur négatif (« décharge à vieilles pensées qui puent », page 19, l. 192-193 ; « Du bluff ! » page 42, l. 203) ou positif (« ce sont de braves gens, Oscar. De très braves gens », page 26, l. 122).

OSCAR OU LE POINT DE VUE
D'UN ENFANT SUR L'INCONNU

Lire

1 Oscar écrit qu'il vit à l'hôpital (page 11, l. 15-16) mais ne s'attarde pas à décrire cet environnement. Comment interprétez-vous cette élision ?

2 Que diriez-vous du vocabulaire employé par Oscar pour parler de la maladie et de la mort ? A-t-il recours à des euphémismes ? Le point de vue sur son état est-il le même au début et à la fin du récit ?

3 Montrez, à l'aide d'exemples, qu'Oscar est un personnage double, précocement mature et encore très proche de l'enfance.

4 En quoi le comportement d'Oscar à l'égard de ses parents est-il celui d'un adolescent ? Comment la maladie complique-t-elle une situation déjà conflictuelle ? Qui joue le rôle de médiateur ?

5 Dressez la liste des enfants vivant avec Oscar : quels types de rapports entretiennent-ils les uns avec les autres ?

6 Dans quelle lettre Oscar évoque-t-il la période de son « adolescence » ? Comment Mamie-Rose a-t-elle déclenché sa « puberté » ?

7 Quelle métaphore (page 37) traduit le sentiment qu'Oscar éprouve pour Peggy Blue ? Quelle figure de l'amoureux est contenue dans cette métaphore ?

8 À quels détails voit-on que la relation entre Oscar et Peggy Blue reste marquée par des rêves d'enfant ?

9 Retrouvez, au fil des lettres, les indicateurs qui permettent de mesurer le temps vécu par le personnage-narrateur. Montrez que celui-ci « adapte » sa subjectivité à ce temps intérieur.

10 Comment le flux de l'écriture imite-t-il le flux de l'existence d'Oscar ? Que remarquez-vous à propos de la dernière lettre ?

Écrire

11 Pensez-vous comme Oscar que l'adolescence, « ça ne glisse pas tout seul » (page 34, l. 2-3) ? Comment vivez-vous la relation à vos parents, à vos camarades (garçons et filles), aux adultes ? Avez-vous le sentiment de subir une série d'épreuves ?

12 Parmi les « premières fois » dont vous avez fait l'expérience depuis votre enfance, quelles sont celles qui vous ont le plus marqué(e) ? Justifiez votre réponse.

13 Comment imaginez-vous votre vie amoureuse pour les années à venir ?

Chercher

14 Quels sont les motifs de l'amour courtois? En quoi la relation entre Oscar et Peggy Blue rappelle-t-elle cette forme?

15 La médecine contemporaine, dans sa réflexion, distingue *to cure* et *to care* : quelle est la signification de chacun de ces verbes? Le vocabulaire français fait-il la distinction? Dans *Oscar et la dame rose* est-il question de *to cure* ou *to care*?

À SAVOIR

NARRATEUR ET POINT DE VUE

Le point de vue choisi pour *Oscar et la dame rose* est le point de vue interne : le lecteur perçoit la réalité (la vie à l'hôpital, la maladie, l'entourage, les personnages des parents et de Mamie-Rose...) à travers le regard d'Oscar; le monde épouse la forme de la conscience, des désirs, des pensées du personnage-narrateur. Seule la dernière lettre propose un point de vue différent : celui de Mamie-Rose.

Ce point de vue «limité» permet à l'auteur de protéger, de renforcer ses autres choix narratifs : par exemple, celui de l'identité des personnages (ainsi, jusqu'à la fin du récit, le lecteur «croit» avec Oscar que Mamie-Rose est une ancienne catcheuse et les parents d'horribles lâches); celui des effets dramatiques, comme dans la scène traumatique où le petit garçon entend ce qu'il «n'aurait pas dû entendre» (page 23, l. 55); ou celui du temps de la narration qui se confond avec celui, totalement subjectif, du personnage.

Ce point de vue permet aussi de créer une proximité entre le lecteur et le personnage, une empathie, voire une identification au narrateur. Il favorise la rencontre entre la subjectivité du narrateur et celle du lecteur.

Enfin, ce point de vue est celui des textes relevant de l'expression de soi : autobiographies, récits de vie (réels ou fictifs), lettres, journaux intimes... Il est celui de l'analyse, de l'écriture par laquelle le narrateur commente ses expériences, apprécie ses actes et ceux des autres, accompagne ses transformations. Ainsi Oscar, au fil des lettres adressées à Dieu, analyse les changements que la rencontre avec l'autre (une vieille dame, Dieu, Peggy Blue) apporte à son regard sur lui-même, sur sa vie et, aussi, sur la mort.

Lire

1 Quelle est la place donnée aux paroles rapportées dans l'ensemble des lettres ? Quels sont les différents interlocuteurs d'Oscar ?

2 Quelle est la forme de discours utilisée dans les différentes situations de communication ? Montrez que c'est à travers les dialogues que se constitue l'identité des personnages, notamment celle de Mamie-Rose. Dans la première lettre, comment les marques de l'oralité (interjections, niveau de langue familier, etc.) expriment-elles la réaction d'Oscar face aux « révélations » de Mamie-Rose ?

3 Page 19, quel pouvoir Mamie-Rose accorde-t-elle à l'expression de soi ?

4 Quel est l'effet des paroles de Mamie-Rose sur l'état d'Oscar ? Est-ce un effet seulement psychologique (page 43) ?

5 Quels sont les dialogues qui font progresser la narration, c'est à dire qui transforment la situation d'Oscar ? Quels sont ceux qui renseignent le lecteur sur la situation d'énonciation (par exemple, dans la 7e lettre, pages 62 à 68) ?

6 Montrez que les répliques entre Oscar et Mamie-Rose s'enchaînent souvent sur le mode question réponse, chacun étant tour à tour celui qui questionne et celui qui répond.

7 Trouvez les dialogues dont la fonction est plus didactique, ceux où Mamie-Rose expose ses idées et répond aux interrogations fondamentales d'Oscar. Quel est le type de discours utilisé ?

8 La 4e lettre relate un dialogue argumentatif qui est aussi une leçon de vie (pages 50 à 53, l. 94 à 171). Où se trouvent les interlocuteurs et pourquoi ce détail est-il important ? Quelles sont les deux thèses successives développées par Mamie-Rose ? En quoi son discours sur la mort est-il paradoxal ? Quelles questions d'Oscar donnent à ce dialogue une nature dialectique ? À quel moment le petit garçon se met-il dans la position de celui qui ne savait pas et qui apprend ? Quelle phrase clôt l'argumentation de Mamie-Rose ?

Écrire

9 Avez-vous déjà vécu une situation où le dialogue a permis d'apaiser en vous un état de violence ou de colère ? Qui était votre interlocuteur ? Quels ont été ses propos ? Quels arguments a-t-il utilisés ?

10 Vous vous opposez à vos parents sur une pratique fondamentale pour vous (celle des jeux vidéo, des lecteurs MP3, du scooter, des sorties tardives entre copains...). Écrivez un dialogue argumentatif dans lequel vous répondrez à vos parents à l'aide d'au moins deux arguments accompagnés d'exemples.

Chercher

11 Quelle est l'étymologie des mots *didactique* et *dialectique*? Que sont la didactique et la dialectique?

12 Quelle est la pièce du metteur en scène américain Colin Higgins (1941-1988) qui présente la rencontre entre une femme de 78 ans et un jeune homme dépressif de 18 ans? Quelle leçon de vie contient-elle?

13 Qui est ce philosophe antique dont l'enseignement prenait la forme de dialogues avec ses disciples?

POUR COMPRENDRE

À SAVOIR

LES DIFFÉRENTS TYPES DE DIALOGUES ARGUMENTATIFS

Le dialogue didactique met en scène deux personnages dont l'un désire transmettre ou acquérir un savoir. Il prend souvent la forme d'un jeu de questions-réponses entre les deux partenaires. Ici, il prend la forme plaisante d'une conversation entre Mamie-Rose, détentrice d'une certaine sagesse, et son jeune disciple, Oscar. La souffrance et l'attitude de l'humain face à la mort sont les thèmes principaux de cet entretien.

Le dialogue polémique présente des interlocuteurs détenteurs chacun d'une vérité et voulant l'imposer à l'autre : le jeu des questions-réponses laisse place à des affirmations suivies de réfutations, parfois sur un ton véhément. Le dialogue se termine rarement sur un accord des deux parties en présence. Il n'y en a pas d'exemple dans *Oscar et la dame rose*, même si parfois la révolte ou la colère occupent l'esprit d'Oscar.

Le dialogue dialectique met les interlocuteurs dans une relative situation d'égalité et de partage des valeurs; l'un accepte d'apprendre de l'autre et tous les deux sont dans une logique de construction et de progression du savoir. Mamie-Rose accepte volontiers cette situation et en joue même, quand elle écoute l'Oscar de trente-deux ou de cinquante ans. Les propos échangés sur le thème de la vie, dans la 9e lettre, sont représentatifs de ce type de dialogue.

Lire

1 Quelle conception du rapport entre l'homme et Dieu Oscar affiche-t-il dans le début de la première lettre (page 9)? Quelle nécessité lui fait corriger ce premier énoncé? Quelle association établit-il entre Dieu et le Père Noël (page 16)?

2 À quel moment de la conversation Mamie-Rose propose-t-elle à Oscar d'écrire à Dieu? Comment justifie-t-elle sa proposition?

3 Quelle image Mamie-Rose propose-t-elle de Dieu quand elle dit qu'Il «touche sa bille» (page 27, l. 147)?

4 Résumez le syllogisme par lequel Mamie-Rose convainc Oscar d'abandonner la position d'athée qu'il partage avec ses parents (pages 27 à 29)? Comment, selon elle, Dieu peut-il se manifester? Quel est le mot récurrent de ce passage? Comment Oscar accueille-t-il la proposition de Mamie-Rose (*cf.* le post-scriptum de la 2e lettre, page 32)?

5 À quelle interrogation d'Oscar Mamie-Rose répond-elle par la visite à la chapelle (page 50)? Quelle est la première réaction de l'enfant? Montrez que ses sentiments sont partagés.

6 Comment Mamie-Rose utilise-t-elle l'exemple de la «statue» pour illustrer sa thèse sur la souffrance? Quelle est cette thèse (pages 51 à 53)? Comment glisse-t-elle du thème de la souffrance à celui de la mort? Quelle locution adverbiale marque cette transition?

7 Montrez que Mamie-Rose parle plus de la peur de mourir que de la mort elle-même (page 53). En quoi cette distinction est-elle signifiante pour Oscar? Relevez, pages 52 et 53, les expressions par lesquelles Oscar marque son assentiment.

8 Quel «pari» Mamie-Rose propose-t-elle à Oscar (page 53)? Quel sentiment place-t-elle à l'origine de la foi?

9 Quelle conclusion l'attente d'Oscar reçoit-elle? À travers quelle fonction Dieu est-Il évoqué? Montrez que le type de phrases, le temps verbal utilisés soulignent cette fonction (page 76).

10 Donnez un nom à l'expérience vécue par Oscar. Quelle en est la nature? Justifiez votre réponse par le vocabulaire. Quel est le dernier souhait d'Oscar (page 78)?

Écrire

11 Comme Oscar – ou comme Aladin – vous avez la possibilité de formuler des vœux : quels sont les trois premiers que vous énonceriez? Demanderiez-vous d'abord des choses concrètes ou des choses de l'esprit?

12 Quelle est votre position au sujet de l'existence de Dieu? Êtes-vous sensible à ce «mystère»? Vos parents vous ont-ils transmis une culture religieuse? Si oui, sous quelle forme?

Chercher

13 Quelle est l'étymologie du mot *foi*? Quel est le lien sémantique entre les mots «foi» et «confiance», tous deux employés par Mamie-Rose (page 53)?

14 À quelle catégorie les arguments de Mamie-Rose appartiennent-ils? Sont-ils de l'ordre de la raison ou de l'ordre du cœur?

15 À quelle partie de l'Ancien Testament l'évocation de la page 76 fait-elle référence?

CROIRE OU NE PAS CROIRE : LES DIFFÉRENTES ATTITUDES FACE AU RELIGIEUX

L'athéisme (du préfixe privatif *a-* et du nom *theos*) nie l'existence de Dieu.

L'agnosticisme (du grec *agnostos* : «qu'on ne peut pas connaître») affirme qu'on ne peut rien connaître de Dieu et qu'il vaut mieux, sur cette question, refuser prudemment de prendre position.

Le théisme affirme l'existence d'un Dieu «personnel», à partir d'une conviction rationnelle ou affective (la Raison et le Cœur), indépendamment, parfois, d'une éducation religieuse.

Le déisme (du latin *deus* : «dieu») croit à l'existence d'un Dieu, mais n'affirme rien à Son sujet.

À la différence du polythéisme, le monothéisme repose sur l'existence d'un seul Dieu, pensé comme le Dieu de tous les hommes; c'est un système fondé sur la Révélation, transmission surnaturelle d'un message par la voix de prophètes (Moïse, Jésus, Mahomet...) ou d'envoyés de Dieu (comme les archanges). À l'intérieur de chacune de ces religions, des hommes et des femmes sentent qu'on peut dialoguer avec Dieu par l'intuition, le cœur, le chant, la musique; ils sont sensibles au mystère du lien religieux et le conçoivent d'abord comme quelque chose d'intime, de caché : c'est l'attitude des mystiques.

Lire

1 Montrez que le personnage d'Oscar traverse de multiples épreuves, de différentes natures. Dans ce parcours, quels sont les personnages qui sont des aides ? Quels sont ceux qui sont des opposants ?

2 Qu'est-ce qui, concrètement, dans la situation du petit garçon malade, peut être générateur d'angoisses ? Dans la 1re lettre, que dit-il de son rapport aux médecins, à l'hôpital ? Quelle scène montre qu'il est dans une situation d'impasse thérapeutique ? Quelle est la justification de la présence de Mamie-Rose ?

3 Qualifiez le regard d'Oscar sur lui-même, dès le début du récit (*cf.* page 17) ? Utilise-t-il des euphémismes pour nommer l'expérience qu'il est sur le point de vivre ?

4 Montrez que, très vite, la conversation avec Mamie-Rose prend un tour philosophique : à quel moment intervient la première conversation à caractère existentiel ? En quoi la double identité de Mamie-Rose – très vieille dame, mais ancienne catcheuse – peut-elle légitimer son discours aux oreilles d'Oscar ?

5 Comment Mamie-Rose accompagne-t-elle Oscar vers l'acceptation de la mort ? Que dit-elle de la vie et de l'attitude de la plupart des humains face à cette échéance ? Comment comprenez-vous cette remarque : « Nous faisons tous semblant d'être immortels » (page 17, l. 155) ? Quelle explication propose-t-elle de la crainte de mourir (page 53) ?

6 Quelle version personnelle Oscar donne-t-il de l'enseignement de Mamie-Rose (page 53) ? En quoi est-elle dialectique, c'est-à-dire en quoi établit-elle une réelle égalité entre les deux interlocuteurs ?

7 Pourquoi est-il essentiel qu'Oscar reprenne, grâce à Mamie-Rose, une certaine autonomie ? Par quel subterfuge l'a-t-elle « libéré » de l'angoisse liée au temps qui lui reste à vivre ? Quel est le ton de l'expression « je passe devant » (page 66, l. 111) ?

8 L'enseignement philosophique de Mamie-Rose conduit-il à la vérité ? Quel dialogue vous permet de justifier votre réponse ?

9 La dernière phrase d'Oscar est : « Je crois que je commence à mourir » (page 79 l. 2-3). À quoi la mort est-elle finalement associée ?

Écrire

10 En quoi les lettres d'Oscar sont-elles une leçon de vie ? Répondez en donnant au moins trois arguments accompagnés d'exemples.

11 Quelle épitaphe pourrait être écrite sur la tombe d'Oscar ?

12 Écrivez la critique de ce récit. quels sentiments, quelles réactions ont accompagné votre lecture ? Quels sont les aspects du texte qui vous ont plu, déplu ? Avez-vous été gêné(e) par les emplois du registre familier ? Cette histoire renvoie-t-elle à des interrogations qui vous sont propres ? Aviez-vous déjà lu des récits traitant les thèmes croisés de l'enfance, de la maladie et de la mort ?

Chercher

13 Les Anciens présentaient en exemple la mort des philosophes Socrate ou Sénèque : en quoi ces hommes ont-ils eu une mort exemplaire ?

14 Quel est le philosophe grec (né à Samos en 341 et mort à Athènes en 271 avant J.-C.) qui écrivait dans sa *Lettre à Ménécée* que « la mort n'est rien pour nous puisque, tant que nous vivons, la mort n'y est pas » et que « quand elle est là, nous n'y sommes plus » ? Quel écrivain et philosophe français du XVIe siècle a-t-il influencé ?

POUR COMPRENDRE

À SAVOIR

LES PRINCIPES DU CONTE PHILOSOPHIQUE

Il s'agit d'exprimer des idées, des interrogations fondamentales, tout en pratiquant l'art de plaire. La question philosophique centrale – le mystère de la fin de la vie – revient comme un leitmotiv ; elle s'inscrit dans un récit alerte qui enchaîne épisodes dramatiques et dialogues marqués par l'oralité, donc libérés de toute rigidité. Les personnages incarnent les idées, comme dans le dialogue platonicien, et philosophent presque sans le savoir, parce qu'à ce moment de leur existence, la philosophie est comme un besoin vital. Le conte philosophique tire sa « légèreté » de l'esprit qui circule dans ses pages ; l'humour y tient une grande place, puisque c'est lui qui aiguillonne la réflexion du lecteur et introduit du jeu entre lui, les personnages et l'auteur.

POUR COMPRENDRE

Lire

1 Quelle est la première opinion d'Oscar au sujet de l'écriture (page 11) ? Quels sont les deux arguments qu'il enchaîne (l. 7-9) ? Qu'est-ce qui le pousse à surmonter ses réticences et même à soigner son écriture ? Comment Mamie-Rose amène-t-elle l'éventualité d'une correspondance avec Dieu ?

2 Sur quel ton Oscar s'adresse-t-il à son destinataire, notamment dans les post-scriptum ? Sur quelle question se terminent la 1re et la 3e lettre ? Montrez que, pour chacune des douze lettres écrites par Oscar, les derniers mots expriment des préoccupations essentielles.

3 Dans la lettre qui clôt le récit, Mamie-Rose écrit (page 80, l. 14-16) : « Merci de m'avoir fait connaître Oscar. Grâce à lui, j'étais drôle, j'inventais des légendes, je m'y connaissais même en catch. » Comment les récits de combats sont-ils en effet traités sur le mode du conte ? Étudiez particulièrement les noms des adversaires que Mamie-Rose invente, leurs attributs et la façon dont les matchs trouvent une issue. À quel moment Mamie-Rose place-t-elle ses « histoires », celle de Sarah Youp La Boum, par exemple ? Quel est le nom de combat qu'elle s'est inventé ?

4 Quelle est la fonction de l'humour dans ce récit ?

5 Devant le scandale provoqué par la « nuit formidable » (page 47, l. 46) que Peggy et Oscar ont passée ensemble, Mamie-Rose s'écrie : « Est-ce que vous allez foutre la paix à ces enfants ? Qui devez-vous satisfaire, les patients ou le règlement ? J'en ai rien à cirer de votre règlement, je m'assois dessus » (page 48, l. 58-60). Montrez, à l'aide d'autres exemples, que c'est par le langage que le personnage de Mamie-Rose conteste les institutions et bouscule les idées reçues. Quelle est, alors, la justification de l'emploi du registre familier, voire argotique ?

6 Finalement, quel était l'enjeu de cette correspondance avec Dieu ? Quelles fonctions ce récit attribue-t-il à l'écriture et, plus précisément, à l'expression du « moi » dans sa relation à l'autre ?

Écrire

7 Réécrivez, dans le registre soutenu, le dialogue de la page 14, de la ligne 78 à la ligne 84.

8 Écrivez-vous en dehors du cadre scolaire ? Tenez-vous un journal intime ? Échangez-vous une correspondance régulière avec un membre de votre famille, un ami ? Justifiez votre réponse.

Chercher

9 Quelle discipline, née avec le xxe siècle, a théorisé l'idée selon laquelle nous pouvons soigner les maux de l'âme avec nos propres mots ?

10 Faites une recherche sur le monde du catch (règles, combats célèbres, types de spectateurs, etc.). De quelle forme de combat antique s'inspire-t-il ?

11 Citez d'autres auteurs dont les textes se caractérisent par l'emploi du registre familier, de l'argot et, plus généralement, de l'oralité.

À SAVOIR

L'HUMOUR

Oscar et la dame rose propose une réflexion sur un sujet grave, celui de la maladie et de la mort des enfants. Éric-Emmanuel Schmitt a choisi de le traiter sur de multiples tons, dont celui de l'humour.

L'humour est le ton qui présente un fait, un événement ou une personne d'une façon qui déclenche le rire ou le sourire, et qui souhaite établir une distance à l'égard de ce qui est rapporté. Ici, l'humour permet à l'auteur de traiter des thèmes tragiques – la souffrance, l'attente de la mort – avec pudeur, tendresse et « esprit ».

L'auteur choisit le comique de situation et le comique de caractère, en associant un petit garçon rebelle et une visiteuse « de contrebande » ; il privilégie le comique de mots qui permet de créer dans cet hôpital un univers fantaisiste, libéré des convenances : c'est le rôle des surnoms (celui des enfants, des catcheuses), du jeu sur les sens et les sonorités du langage argotique, du mélange des registres de langue.

POUR COMPRENDRE

Lire

1 Pourquoi le découpage du texte en treize lettres peut-il être associé au découpage d'une pièce en « actes » ou « scènes » ?

2 Quelle est la forme dominante du texte : le récit d'événements ou les paroles rapportées ? La situation d'Oscar évolue-t-elle par l'action ou par le dialogue avec Mamie-Rose ? Relevez des « répliques » (échanges vifs, courts entre les personnages).

3 En quoi les lettres sont-elles plus construites sur les rebondissements, les effets dramatiques, que sur une suite linéaire d'événements ? À quel moment du récit assiste-t-on à un « coup de théâtre » ?

4 Montrez comment lieux et temps sont extrêmement resserrés et servent les effets dramatiques (entrées et sorties de personnages, changements et retournements de situation, etc.).

5 Quel « rôle », quel passé Mamie-Rose s'invente-t-elle ? Quel était alors son surnom (page 15) ? Qu'évoque-t-il ? Quel est l'effet créé par la citation des « grands tournois » (l. 99 à 105) ?

6 Quelle est la figure féminine à laquelle Oscar associe les surnoms des rivales de « Mamie-Rose quand elle était catcheuse » ? Comment Oscar interprète-t-il le fait qu'elle les a toutes terrassées ? Quel est l'effet de ces « légendes » sur son esprit ?

7 De quoi le catch, le ring, les coups peuvent-ils être la métaphore ? « C'est une question d'entraînement », affirme Mamie-Rose, « les coups sur la gueule, plus t'en prends, plus tu peux en prendre. Faut toujours garder l'espoir » (pages 67-68, l. 137 à 139). Relevez, page 64, la remarque d'Oscar qui montre qu'il a bien analysé cette métaphore.

8 Quelle utilisation une mise en scène théâtrale ferait-elle des évocations de combats ?

Écrire

9 Imaginez que vous devez mettre en scène *Oscar et la dame rose* et que vous devez diriger l'actrice qui doit interpréter Mamie-Rose telle qu'Oscar l'imagine : « une petite vieille en blouse rose un peu branlante en train de foutre la pâtée à des ogresses en maillot » (page 15, l. 107-108). Écrivez les didascalies (les indications de jeu) que vous ajouteriez au texte.

10 Quelle « leçon de vie » lisez-vous dans ce récit ? Justifiez votre réponse.

11 Quels autres « rôles » Mamie-Rose aurait-elle pu inventer pour Oscar ?

Chercher

12 Avant Anny Duperey, quelle est l'actrice qui a interprété Mamie-Rose ?

13 Qu'est-ce qu'une « parabole » ? De quoi le texte *Oscar et la dame rose* peut-il être la parabole ?

14 Quelles sont les autres créations théâtrales d'Éric-Emmanuel Schmitt ? Quelles sont celles avec lesquelles *Oscar et la dame rose* est en correspondance ?

À SAVOIR

APPROCHE DU LANGAGE THÉÂTRAL

Traditionnellement, une pièce – comédie, drame ou tragédie – est découpée en actes et en scènes.

La scène s'ouvre et se clôt sur l'entrée et la sortie d'un personnage : c'est le cas de la plupart des lettres, telles qu'elles sont rédigées par Oscar. La 2e lettre, par exemple, s'ouvre sur l'arrivée de Pop Corn et des parents ; la 3e lettre s'achève sur le « Bonsoir » de Peggy ; la 12e lettre est le dernier « salut » d'Oscar...

La réplique est la courte adresse d'un personnage à un autre ; quand, dans une tragédie, les répliques, très courtes, s'enchaînent, on parle de stichomythie ; la tirade est une longue réplique qui, souvent, permet au personnage de développer son « caractère ».

Le coup de théâtre est un rebondissement inattendu, un élément perturbateur qui modifie brusquement l'intrigue et peut engendrer un retournement de situation.

I) CONVERSATIONS
ENTRE LES MORTS ET LES VIVANTS

Réflexion sur le mystère de la foi, *Oscar et la dame rose* rappelle à nos oreilles les paroles des antiques Romains sur la condition humaine et, notamment, sur le vide, le manque créés par la mort. En mourant, on clôt définitivement ce «prêt» qu'est l'existence; comme le dit Oscar à Mamie-Rose à propos de sa mort annoncée (page 53, l. 176-177) : «En fait, je n'ai pas peur de l'inconnu. C'est juste que ça m'ennuie de perdre ce que je connais.»

Tombeaux romains – Anthologie d'épitaphes latines
Traduit du latin et préfacé par Danielle Porte, © Éditions Gallimard

Les épitaphes que les Romains faisaient graver sur leurs tombeaux – véritable conversation philosophique avec le passant, puisque ces tombeaux étaient construits le long des routes – évoquent, sur un mode poétique, à peu près le même regret, celui des expériences de la vie, des joies souvent, mais aussi des peines.

Parmi ces épitaphes, il y a celles inscrites sur les tombeaux des enfants, parfois très jeunes. Comme les autres, elles philosophent et avertissent les vivants de ce qui les attend; elles leur conseillent aussi de jouir de la vie, avant de n'avoir plus que des souvenirs. C'est la sagesse même d'Oscar. Dans l'avant-dernière lettre (page 80, l. 4 à 9), il écrit : « J'ai essayé d'expliquer à mes parents que la vie, c'était un drôle de cadeau. Au départ, on le surestime, ce cadeau : on croit avoir reçu la vie éternelle. Après, on le sous-estime, on le trouve pourri, trop court, on serait presque prêt à le jeter. Enfin, on se rend compte que ce n'était pas un cadeau, mais juste un prêt. Alors on essaie de le mériter. »

Quelle joie, pour les miens, que mon premier anniversaire ! Mais, ravi par un Sort cruel, point n'ai-je pu en fêter d'autre. Un petit bout d'année, sept mois, et le souffle me manque. Arraché à leurs bras, je flotte, maintenant, parmi les ombres vaines. Pourquoi griffer ton ventre et frapper ta poitrine, ô maman ? Pas un mortel ne peut se garder de la mort.

(Tombe d'un bébé, Cu. Domitius Proculus ; derrière la basilique Saint-Paul, Rome.)

J'ai parcouru sept ans le chemin de la vie, celui de mon destin. Engloutie ai-je été, alors, par les ténèbres, et la pierre, aujourd'hui, sert d'abri à mes os. Cesse donc, ô ma sœur, de pleurer sur ma tombe ! La même heure est venue pour de nombreux monarques.

(Tombeau de la famille de L. Arruntius, consul en 6 ap. J.-C., avec une inscription pour le jeune M. Successus gravée par sa sœur, Primigénia.)

Voyageur qui t'en vas marchant d'un pas pressé, arrête, je t'en prie, au milieu du bosquet, sans dédaigner ces vers qui s'offrent à tes yeux.

J'ai vécu douze années chez les hommes, et deux jours. J'ai connu et appris Pythagore et les Sages, et, dans les livres, lu les vers sacrés d'Homère. Sur mon boulier, j'appris tous les calculs d'Euclide. Je me suis fait plaisir et j'ai beaucoup joué, turbulent que j'étais…

Maintenant, je m'en vais vers l'infernal séjour, vers le fleuve Achéron, sous les noires clartés des astres du Tartare. J'ai quitté de la vie les promesses superbes. Adieu, Espoir, Beauté, allez tromper quelque autre! Je n'ai plus désormais rien à voir avec vous. Ici, c'est l'éternel séjour. Et c'est là que je suis, que je serai toujours!

(Tombe de l'écolier M. Pétronius Antigénidès; Pesaro.)

Pour le nom, j'étais «Mûr» (Maturus), pour l'âge, aucunement. Car j'ai vécu seize ans, neuf mois, autant de jours et autant d'heures.

Je naquis à la huitième heure et, à la huitième heure aussi, j'ai rendu aux Destins ce qu'ils m'avaient donné. Ma mère très chérie, cesse de t'affliger sur le sort qui te frappe! C'est ici qu'est notre demeure, c'est ici que, tous, nous habiterons. Ici, je suis ensemble et ma sœur et ma mère. Nous voilà trois, ici, dans cet abri étroit. Quant à toi, je te prie, ma vertueuse sœur, de bien veiller sur nos parents, jusqu'à ce que la mort unisse leur destin à l'ombre que je suis.

C. Attius Faustus a voulu consacrer ce texte funéraire à son fils disparu.

(Tombe du jeune C. Attius Maturus; sur la via Salaria.)

II) «QUE PHILOSOPHER C'EST APPRENDRE À MOURIR»

Cette sentence célèbre est extraite des *Essais* de Michel de Montaigne (livre I, chapitre XX). Le texte dans lequel elle s'inscrit mène une réflexion sur les remèdes que les hommes peuvent trouver à la peur de la mort. Pour Montaigne, imprégné de la lecture des Anciens et de la pensée chrétienne, il n'est qu'un seul remède : regarder la mort en face, y penser sans cesse, vivre avec cette pensée.

Ce calme effort, Montaigne le tire de l'enseignement des philosophes stoïciens, comme Sénèque : il lui permet de construire une méthode pour penser la fragilité de l'existence et souffrir le moins possible de la mort et du «pensement de la mort». Montaigne est influencé aussi par les disciples d'Épicure, ces hommes pour lesquels philosopher était d'abord apprendre à moins souffrir, puis rechercher l'«agréable». Aussi, *Les Essais* citent-ils souvent les poètes Horace et, surtout, Lucrèce.

Michel de Montaigne (1533-1592)

Les Essais, 1re édition, 1580

Les Essais sont rédigés à partir de 1572, puis tout au long de l'existence de l'écrivain. Ils prennent d'abord la forme de notes de lecture, celle des Anciens notamment; puis les idées personnelles, nées des multiples expériences de la vie (affaires, amitiés, voyages), forment la matière du texte. «Ainsi, lecteur, je suis moi-même la matière de mon livre», écrit Montaigne dans l'avant-propos. Cette richesse – intellectuelle, humaine – est mise au service de la recherche d'une certaine sagesse, dont celle qui permet de mettre l'homme à distance des souffrances engendrées par l'idée et la peur de la mort. Quelles sont les armes à disposition de l'homme pour combattre cet «ennemi»?

[…] apprenons à le soutenir de pied ferme et à le combattre. Et pour commencer à lui ôter son plus grand avantage contre nous, prenons voie toute contraire à la commune : ôtons-lui l'étrangeté, pratiquons-le, accoutumons-le, n'ayons rien si souvent en la tête que la mort. À tous instants représentons-la à notre imagination, et en tous visages. Au broncher d'un cheval, à la chute d'une tuile, à la moindre piqûre d'épingle, remâchons soudain : «Eh bien! quand ce serait la mort même?» et là-dessus, raidissons-nous et efforçons-nous. Parmi les fêtes et la joie, ayons toujours ce refrain de la souvenance de notre condition, et ne nous laissons pas si fort emporter au plaisir, que parfois il ne nous repasse en la mémoire en combien de sortes cette nôtre allégresse est en butte à la mort, et de combien de prises elle la menace. Ainsi faisaient les Égyptiens, qui, au milieu de leurs festins et parmi leur meilleure chère, faisaient apporter l'anatomie sèche d'un corps d'homme mort, pour servir d'avertissement aux conviés.

Omnem crede diem tibi diluxisse supremum :
Grata superveniet, quæ non sperabitur hora.

Il est incertain où la mort nous attende : attendons-la partout. La préméditation de la mort est préméditation de la liberté : qui a appris à mourir, il a désappris à servir; le savoir mourir nous affranchit de toute sujétion et contrainte : il n'y a rien de mal en la vie pour celui qui a bien compris que la privation de la vie n'est pas mal. Paulus Æmilius répondit à celui que ce misérable roi de Macédoine, son prisonnier, lui envoyait pour le prier de ne le mener pas en son triomphe : « Qu'il en fasse la requête à soi-même. »

À la vérité, en toutes choses, si nature ne prête un peu, il est malaisé que l'art et l'industrie aillent guère avant. Je suis de moi-même non mélancolique, mais songe-creux. Il n'est rien de quoi je me sois dès toujours plus entretenu que des imaginations de la mort : voire en la saison la plus licencieuse de mon âge,

Jucundum cum ætas florida ver ageret,

parmi les dames et les jeux, tel me pensait empêché à digérer à part moi quelque jalousie ou l'incertitude de quelque espérance, cependant que je m'entretenais de je ne sais qui, surpris les jours précédents d'une fièvre chaude, et de sa fin, au partir d'une fête pareille, et la tête pleine d'oisiveté, d'amour et de bon temps, comme moi, et qu'autant m'en pendait à l'oreille.

I, XX.

Sénèque (v. 2 av. J.-C.-65 ap. J.-C.)

De la brièveté de la vie, trad. A. Bourgery, P. Veyne, « Bouquins », © Robert Laffont, 1993.

Avocat célèbre, il est appelé par l'impératrice Agrippine pour être le précepteur de son fils, Néron. Après l'avoir soutenu – alors même que son activité criminelle a commencé –, Sénèque s'éloigne de Néron et de sa cour : ce « repos » est interprété comme une condamnation morale et Sénèque, accusé de participation à la conjuration de Pison, est contraint au suicide.

Sénèque est un philosophe stoïcien, dont les textes ont pour but de réfléchir à la douleur, à l'inquiétude. Dans le *De brevi-*

tate vitae (*De la brièveté de la vie*), il montre la vanité de l'espérance et du regret, célèbre au contraire la capacité à saisir le temps qui nous appartient.

Tous les plus brillants esprits ont beau être d'accord sur ce point, ils n'admireront jamais assez cet aveuglement de l'intelligence humaine : on ne laisse envahir ses domaines par personne ; au moindre désaccord sur des questions de limites, on court aux pierres et aux armes : mais on laisse les autres empiéter sur sa vie ; bien mieux, on introduit soi-même ceux qui vont en devenir les maîtres. Il ne se trouve personne pour vouloir partager son argent, mais entre combien chacun distribue-t-il sa vie ? On est serré quand il faut garder son patrimoine ; s'agit-il d'une perte de temps, on est particulièrement prodigue du seul bien dont il serait honorable de se montrer avare.

Aussi, j'aime à prendre à partie quelqu'un dans la foule des gens âgés : « Nous te voyons parvenu à l'extrême limite de la vie humaine ; cent ans ou plus s'amoncellent sur ta tête : allons, reviens en arrière, fais le compte de ton existence. Calcule combien de ce temps-là t'a pris un créancier, combien une maîtresse, combien un roi, combien un client, combien les querelles conjugales, combien le châtiment des esclaves, combien les allées et venues à travers la ville pour des devoirs mondains – ajoute les maladies que nous nous sommes données, ajoute encore le temps inemployé –, tu verras que tu as moins d'années que tu n'en comptes. Rappelle-toi quand tu t'en es tenu à tes décisions, quel jour s'est passé comme tu l'avais arrêté, quand tu as pu disposer de toi-même, quand ton visage est resté impassible, ton âme intrépide, quelle a été ton œuvre dans une si longue existence, combien de gens ont gaspillé ta vie sans que tu t'aperçoives du dommage, tout ce que t'ont soustrait de vaines contrariétés, une sotte allégresse, une avide cupidité, un entretien flatteur, combien peu de toi-même t'est resté : tu comprendras que tu meurs prématurément. »

Quelle en est la raison ? Vous vivez toujours comme si vous alliez vivre, jamais vous ne songez à votre fragilité, vous ne considérez pas tout le temps qui est déjà passé ; vous perdez comme si vous aviez un trésor inépuisable, alors que peut-être ce jour que vous donnez à un homme ou à une occupation quelconque est le dernier. Vos terreurs incessantes sont d'un mortel, vos désirs incessants d'un immortel.

Lucrèce (v. 98-55 av. J.-C.)

Les Matérialistes de l'antiquité, Paul Nizan, © La Découverte, 1938

Nous savons peu de choses de sa vie. Issu d'une glorieuse famille, il se détourne de la carrière politique et mène l'existence d'un philosophe. Il adopte la pensée d'Épicure (341-270 av. J.-C.), sage athénien dont la mémoire est célébrée parce qu'au cœur d'une époque d'oppression et qui a fait de la philosophie un travail sur les problèmes les plus pressants : comment acquérir une sécurité, comment échapper à la terreur des dieux, de la mort et du temps.

Lucrèce vit, lui aussi, à une époque très troublée et son *De natura rerum* (*De la nature*) est parcouru par le désir d'arracher ses lecteurs au malheur du temps. Voici les conseils qu'il donne dans une *Lettre à Ménécée*…

Lettre à Ménécée, 124-127

Accoutume-toi à croire que la mort n'est rien pour nous. Car tout bien et tout mal sont dans la sensation, et la mort, c'est la privation de sensation. Donc la connaissance de cette vérité que la mort n'est rien pour nous, nous rend capables de jouir de cette vie mortelle, non point parce qu'elle lui ajoute une durée infinie, mais parce qu'elle nous enlève le désir de l'immortalité. Car il n'y a rien de terrible dans la vie pour celui qui a compris qu'il n'y a rien de terrible dans le fait de ne vivre pas.

On prononce des mots creux quand on dit qu'on craint la mort, non point parce qu'elle sera douloureuse quand elle viendra, mais parce qu'il est douloureux de l'attendre. Ce serait une crainte vaine que celle qui serait produite par l'attente d'une chose qui, actuelle et réelle, ne cause aucun mal. Ainsi la mort, regardée comme le plus terrifiant de tous les maux, n'est rien pour nous, puisque, tant que nous vivons, la mort n'est pas notre compagne, et que quand elle vient, nous ne sommes plus. Elle ne concerne donc ni les vivants ni les morts : pour les premiers, elle n'existe pas ; pour les seconds, elle n'existe plus.

Mais la foule tantôt fuit la mort comme le plus grand des maux ; et tantôt la désire comme un répit aux maux de la vie. Le sage ne cherche pas à esquiver la vie ni ne craint sa fin, car la vie ne l'offense point et l'absence de vie ne lui semble pas un mal. Et de même qu'en ce qui concerne la nourriture, il ne cherche pas simplement la plus grosse part, mais la plus agréable, de même il ne cherche pas à jouir de la plus longue période de temps, mais de la plus agréable.

Et celui qui conseille au jeune homme de bien vivre et au vieillard de finir bien est stupide, non seulement parce que la vie est désirable, mais aussi parce que c'est le même entraînement qui enseigne à bien vivre et à bien mourir.

Pour la collection «Classiques & Contemporains», *Éric-Emmanuel Schmitt a accepté de répondre aux questions de Josiane Grinfas-Bouchibti, professeur de lettres et auteur du présent appareil pédagogique.*

Josiane Grinfas-Bouchibti : Quelle place *Oscar et la dame rose* occupe-t-il dans le «Cycle de l'invisible» ?

Éric-Emmanuel Schmitt : Chaque récit du «Cycle de l'invisible» aborde un drame humain et le lie à une religion en montrant comment une sagesse spirituelle peut nous aider à vivre. Après l'islam dans *Monsieur Ibrahim et les Fleurs du Coran*, le bouddhisme dans *Milarepa*, *Oscar et la dame rose* aborde le christianisme.

Tout excentrique qu'elle soit, Mamie-Rose est chrétienne et raconte à Oscar comment sa religion lui permet d'aborder la douleur et la mort. Jamais elle ne tente de le convertir, elle témoigne seulement de sa foi. Son but n'est pas d'influencer l'enfant ni de l'embrigader mais de réfléchir avec lui et, par le dialogue, lui donner de nouveaux aliments pour nourrir sa pensée. Le «Cycle de l'invisible» propose davantage des conversations sur les réponses religieuses que des initiations aux religions.

J. G.-B. : Qu'est-ce qui séduit le conteur dans le couple formé par Oscar et Mamie-Rose ?

E.-E. S. : J'ai rêvé de cette histoire très longtemps, bien avant d'être capable de l'écrire. Pour moi il y avait deux difficultés : parler comme un enfant et traiter un sujet grave sans déprimer le lecteur.

À vingt ans ou à trente ans j'aurais été incapable de retrouver la voix d'un enfant de dix ans car des années d'études philosophiques m'avaient construit et transformé. L'enfant demeurait en moi mais enterré sous de nombreuses couches ; il me semblait que seul l'adulte était capable de s'exprimer par écrit. Il a fallu que j'atteigne quarante ans pour gagner une sorte de simplicité et une confiance dans le mystère de la vie qui soient proches de l'enfance. Dans mon récit autobiographique *Ma Vie avec Mozart*, j'explique ce qu'est l'esprit d'enfance : pas une régression, pas une nostalgie, mais la renaissance de l'humilité que nous avions tous dans nos premières années, lorsque nous acceptions de penser que l'univers était immense, mystérieux, infini, riche de plus de questions que de réponses… bref, quand nous savions que nous ne savions pas.

Ma seconde crainte concernait le sujet : l'agonie d'un enfant. J'avais continuellement en tête la phrase de Dostoïevski selon qui la souffrance et la mort d'un enfant empêchent de croire en Dieu. Thème sensible, voire tabou… Or, il m'apparut, au fur et à mesure que je réfléchissais, qu'à dix, cinquante ou cent ans c'est toujours la même vie que l'on perd. Avec le cadeau de la vie, nous est donné le cadeau de la mort. Indissociable. Ce n'est pas la longueur d'une vie qui fait sa valeur mais sa qualité. Lors de mes visites dans les hôpitaux pour enfants, j'étais toujours frappé par la franchise des enfants qui parlaient sans détour des maux qui les accablaient ; je remarquais aussi que nous, les adultes, nous tentions lâchement d'éviter certains sujets trop douloureux. Ce faisant, nous refusions le dialogue et enfermions les enfants dans une solitude douloureuse, la solitude même d'Oscar au début du livre qui se plaint de ne pouvoir échanger avec personne, comme si au malheur de la maladie devait s'ajouter celui du silence. Mamie-Rose, elle, à la différence des autres adultes, n'a peur de rien, d'aucune discussion : n'est-elle pas une ancienne championne de lutte ? Le couple Oscar/Mamie-Rose est un vrai couple de philosophes, l'un enfant, l'autre adulte, qui s'interrogent et débattent ensemble de cette mystérieuse condition humaine, dans laquelle, sans l'avoir demandé, ils sont jetés. Autre chose me séduit dans leur couple : leur fragilité. Tous les deux sont en fin de vie. Malgré cela – ou grâce a cela –, ils vont déployer des trésors d'humour et d'imagination pour rendre chaque jour plus riche et plus joyeux.

J. G.-B. : D'où vient ce personnage de petit garçon malade ? Quelle philosophie incarne-t-il ?

E.-E. S. : Oscar nous représente tous parce que, en douze jours, il a tous les âges d'une vie. Il m'a été inspiré par de multiples malades que j'ai connus mais surtout par mes souvenirs d'enfance. Parce que mon père, kinésithérapeute, soignait des enfants, infirmes moteurs cérébraux ou malentendants, il m'emmenait parfois avec lui pendant ses après-midi de visites. Du coup, j'ai connu cet univers de l'intérieur, par des copains que je me faisais de semaine en semaine, et je l'ai retranscrit en reprenant les surnoms par lesquels les enfants, avec humour, se moquaient de leurs propres maladies.

Oscar est d'emblée plus philosophe que ses parents car il accepte la réalité telle qu'elle est. Il ne cherche pas à la fuir, ni en actes, ni en mots. Avec un grand réalisme, il a conscience qu'il marche vers sa mort proche. Alors, grâce à l'aide de Mamie-Rose, il va distinguer ce qui est important dans la vie.

J. G.-B. : Il y a, dans ce texte, un troisième personnage principal : Dieu. Pourquoi en faites-vous un visiteur ?

E.-E. S. : Effectivement Dieu est le troisième personnage de l'histoire. Au début Il n'est qu'une adresse inconnue ; d'ailleurs, l'enfant demeure persuadé qu'Il n'existe pas plus que le Père Noël. Puis Il devient un confident qui permet à Oscar de distinguer ce qui, dans sa journée, est essentiel ; du coup, Il officie comme un partenaire silencieux, une sorte de sage qui offre à Oscar l'occasion de réfléchir « aux choses de l'esprit » et de passer de vœux d'égoïste à des vœux de plus en plus altruistes. Enfin – coup de théâtre ! –, à la fin du livre, Oscar a le sentiment que Dieu, après tout ce silence, lui rend visite…

J'ai eu beaucoup de plaisir à décrire une expérience mystique vécue par un enfant. Ce qui compte n'est pas de savoir si Dieu est réellement venu visiter Oscar, s'Il existe pour de bon, mais de noter ce que cette émotion apporte à Oscar. Elle lui redonne le sens de l'étonnement, de l'émerveillement et lui offre une règle de conduite : regarder chaque jour comme si c'était la première fois. Vous allez me suggérer que c'est exactement le contraire de ce que proposait Tolstoï lorsqu'il parlait de la mort et qui, lui, nous engageait à regarder chaque chose comme si c'était la dernière fois. Au fond, la maxime d'Oscar ou la maxime de Tolstoï poursuivent le même but : nous ouvrir les yeux et le cœur, intensifier notre perception, réveiller notre sensibilité, arracher les rideaux d'indifférence apportés par l'habitude.

La dernière phrase du livre concerne encore Dieu : « Seul Dieu a le droit de me réveiller. » Elle est très ambiguë et, sans doute pour cela, touche tant les gens. On pourrait la traduire ainsi : « Si Dieu existe, qu'Il me réveille ; s'Il n'existe pas, laissez-moi reposer en paix. »

J. G.-B. : Quel est ce « mystère » dont parle le texte ? Est-ce la foi ?

E.-E. S. : Le mystère dont parle le texte, c'est, bien évidemment, la condition humaine. Notre vie. Quel est son sens ? son but ? sa raison d'être ? son issue ? Personnellement, je pense que nous ne le saurons jamais. Et que nous devons l'accepter. Accepter que ce mystère reste un mystère, nous résoudre à ignorer, perdre l'illusion du savoir, admettre l'incompréhensible, le dépassement. Cultiver cette humilité.

Certes, on peut adhérer à ce que certaines religions ou certaines idéologies nous proposent, mais croire n'est pas savoir. Croire, c'est donner du crédit à une hypothèse, pas posséder la vérité. La foi ne prétend pas apporter une réponse certaine, seulement une réponse subjective, personnelle, transitoire. La foi ne doit pas prendre la place de la science qu'elle n'est pas. La foi demeure fragile, car elle n'est que ce qu'elle est, une petite flamme qui nous réchauffe dans la nuit de savoir mais ne nous éclaire pas.

« Il n'y a qu'une seule solution à la vie, c'est vivre », dit Oscar, conscient qu'il faut se résoudre à ne pas plaquer de fausses réponses sur le mystère. On pourrait ajouter : « Et mourir. »

J. G.-B. : Avez-vous pensé au théâtre en écrivant ce texte ?

E.-E. S. : J'ai tout de suite imaginé que le texte serait aussi bien destiné à la lecture en livre qu'au jeu sur scène. Pourquoi ? Parce que mes textes, je les entends avant de les écrire : Oscar a habité dans mon cerveau pendant plusieurs années avant de me dicter, de sa voix fraîche et fragile, ses lettres. J'ai l'impression de représenter un étrange cas littéraire, un «écrivain oral». Autant dire un «poisson soluble»...

Sur les planches, l'histoire est jouée par une seule personne, Mamie-Rose, qui commence à relire les lettres d'Oscar puis, se prenant au jeu, devient l'enfant lui-même qui s'adresse à Dieu et le fait revivre dans son propre corps. Elle ne se retrouve elle-même que pour la dernière lettre, la seule qu'elle a rédigée.

Si je préfère un Oscar imaginaire, un Oscar imaginé, si je ne souhaite pas qu'un jeune acteur de dix ans joue Oscar pour de bon, c'est parce que j'ai peur de certaines images. Lorsque je vois un enfant pâle et sans cheveux à cause de sa chimiothérapie, j'éprouve un tel choc que j'ai du mal à m'en remettre. Comme, sous les projecteurs, on ne voit pas Oscar, seulement Mamie-Rose qui l'incarne, on l'entend mieux, on l'écoute, on peut mieux profiter des merveilles qu'il peut nous enseigner.

BIBLIOGRAPHIE

• Sur le thème de l'enfant et la maladie
– Jean Bernard, *À quoi sert la médecine ?*, Le Seuil, 1993.
– Peter Hartling, *On l'appelait Filot*, coll. « Kid Pocket », Pocket, 1996.
– Gudule, Robert Diet, *La Vie à reculons*, coll. « Le Livre de Poche Jeunesse », Hachette Jeunesse, 1994.
– Susie Morgenstern, Mayah Gautier, *Privée de bonbecs*, coll. « Neuf », L'École des loisirs, 2002.

• Sur le thème de l'enfant et la mort
– Marie Desplechin, *Et Dieu dans tout ça ?*, coll. « Neuf », L'École des loisirs, 1994.
– Cécile Demeyere-Folgesang, *Chambre 203*, coll. « Le Livre de Poche Jeunesse », Hachette, 2002.
– Marie-Sabine Roger, Françoise de Guibert, Ronan Badel, *Pourquoi on meurt ? La question de la mort*, Autrement Jeunesse, 2001.

CONSULTER INTERNET

– Site officiel de l'auteur : www.eric-emmanuel-schmitt.com.
– Site de l'Apache (Association pour l'amélioration des conditions d'hospitalisation des enfants) qui reprend notamment la *Charte de l'enfant hospitalisé* (charte rédigée à Leiden, aux Pays-Bas, en 1988, lors de la Ire Conférence européenne des associations d'enfants à l'hôpital) : www.apache-france.com.

ASSOCIATIONS DE « VISITEURS »

– *Les Blouses roses*, 5 rue Barye, 75017 Paris.
– *Petits Princes*, 15 rue Sarrette, 75014 Paris.
– *Le Rire médecin*, 18 rue Geoffroy-l'Asnier, 75004 Paris.
– *Sol en si*, 9 bis rue Léon Giraud, 75019 Paris.
– *Sparadrap*, 48 rue de la Plaine, 75020 Paris.

FILMOGRAPHIE

Oscar et la dame rose, un film d'Éric-Emmanuel Schmitt avec Michèle Laroque, Amir dans le rôle d'Oscar, Amira Casar, et avec la participation de Mylène Demongeot et de Max von Sydow, 2009.

Classiques & Contemporains

SÉRIES COLLÈGE ET LYCÉE

Couverture
Conception graphique : Marie-Astrid Bailly-Maître
Photographie : extraite du film d'Éric-Emmanuel Schmitt (2009) avec
Michèle Laroque et Amir dans le rôle d'Oscar, © PE – photo : Nathalie Eno

Intérieur
Conception graphique : Marie-Astrid Bailly-Maître
Édition : Charlotte Cordonnier
Réalisation : Nord Compo, Villeneuve-d'Ascq

© **Éditions Albin Michel, 2002**

© **Éditions Magnard, 2006, pour la présentation, les notes, les questions,**
l'après-texte et l'interview exclusive

www.magnard.fr

Achevé d'imprimer en février 2012 par «La Tipografica Varese S.p.A.», Varese
N° d'éditeur : 2012/0281 - Dépôt légal : juin 2008
Imprimé en Italie